J. DUBOIS
Agrégé de grammaire
Professeur
au lycée Montaigne

G. JOUANNON
Licencié ès lettres
Professeur
de collège

R. LAGANE
Agrégé de grammaire
Professeur
au lycée Pasteur

GRAMMAIRE FRANÇAISE

LIBRAIRIE LAROUSSE
17, rue du Montparnasse,
Paris-VIe

AVANT-PROPOS

Cette GRAMMAIRE FRANÇAISE a été composée dans l'intention de mettre à la disposition des lecteurs un livre simple et clair, d'où les détails inutiles ou trop particuliers ont été écartés au profit des éléments les plus importants.

Le plan général de l'ouvrage reste traditionnel : on va du mot à la phrase en envisageant successivement les grandes parties de la grammaire. On y a joint quelques notions nécessaires de phonétique et d'orthographe. Pour satisfaire aux programmes scolaires, nous avons consacré quelques pages à la versification.

La nomenclature adoptée répond aux exigences ou à l'esprit des programmes officiels; elle ne comporte aucune innovation ni aucune complication artificielle qui puisse masquer les principes essentiels. Elle comprend, en particulier, les exemples recommandés « qui seront valables pour l'enseignement de la grammaire pendant toute la scolarité ».

Nous avons donné à la présentation toute l'attention nécessaire, avec la pensée de permettre à tout lecteur de saisir rapidement l'ensemble d'une question sans être retardé par de trop longs commentaires. Un index, que nous avons voulu aussi complet que possible, rendra la consultation aisée.

Les auteurs.

Les références qui figurent en tête de chaque chapitre renvoient aux chapitres correspondants des trois volumes d'Exercices de français, 6e, 5e **et** 4e-3e.

Le présent volume appartient à la dernière édition (revue et corrigée) de cet ouvrage. La date du copyright mentionnée ci-dessous ne concerne que le dépôt à Washington de la *première* édition.

ISBN 2-03-040352-0

LA GRAMMAIRE

LA GRAMMAIRE EST L'ÉTUDE DE LA LANGUE

Les grandes parties de la grammaire sont :

LA PHONÉTIQUE, qui étudie la nature des **sons** et la manière dont ils évoluent au cours de l'histoire d'une langue.

LA MORPHOLOGIE, qui analyse la nature et la **forme des mots** selon le genre, le nombre, la personne, les temps et les modes des verbes, etc.

LA SYNTAXE, qui recherche les **rapports des mots** ou des groupes de mots entre eux et étudie l'**ordre des mots** liés à l'expression de la pensée.

LE VOCABULAIRE, qui s'attache au **sens** et à l'**origine des mots,** à leurs **modes de formation** et à leur **histoire**.

LE STYLE, qui analyse l'**utilisation** personnelle **de la langue** faite par des écrivains et qui ne relève pas d'un exposé systématique.

FORMATION DU FRANÇAIS

Ex. 4e-3e : p. 4.

1. Origine du français : le latin.

La langue française est née du **latin** que les Romains conquérants (soldats, marchands et colons) ont introduit peu à peu en Gaule dès le Ier siècle avant J.-C. Ce latin parlé, fort différent du latin connu par les textes littéraires, remplaça la **langue gauloise,** qui disparut presque complètement. Celle-ci ne s'est plus guère conservée que dans certains noms propres (*Paris, Chartres,* etc.) et dans quelques noms de la campagne (*arpent, borne, braies, claie, lieue, charrue,* etc.).

2. Formation populaire et formation savante.

Les mots latins, déformés dans leur prononciation et détournés souvent de leur sens originel, sont devenus, par une série de transformations, les mots français *(formation populaire)*. Mais dès le Moyen Age les lettrés ont créé d'autres mots en les calquant directement sur les mots latins *(formation savante).*

Ainsi, le latin ***locare*** a donné **louer** (formation populaire);
le latin ***locatio*** a donné **location** (formation savante).

3. Les doublets.

Un *même* mot latin a pu donner en français *deux* mots : l'un de formation populaire, l'autre de formation savante. Tous deux forment alors un **doublet :**

Auscultare a donné **écouter** (formation populaire);
ausculter (formation savante).

4. Les dialectes.

La langue a évolué différemment suivant les régions de France; il s'est formé des **dialectes,** qui tendront, en partie, à disparaître :

Ceux de **langue d'oïl** au nord de la France : le wallon, le picard, le champenois, le lorrain, le normand et le francien de l'Ile-de-France, etc.;

Ceux de **langue d'oc** au sud de la France : le gascon, le limousin, le béarnais, l'auvergnat, le provençal, le languedocien, le poitevin, etc.

Ces dialectes ont pu fournir au français proprement dit, issu du dialecte de l'Ile-de-France, un certain nombre de mots :

Estaminet est wallon; *fabliau,* picard; *cèpe,* gascon.

5. Les mots d'origine étrangère.

La formation d'une langue est liée à l'histoire du peuple qui la parle. Le contact avec d'autres civilisations, les relations commerciales ou culturelles avec les pays voisins, les découvertes scientifiques et techniques ont été et sont encore la source d'un continuel développement ou renouvellement du vocabulaire.

Les **invasions germaniques** du Ve siècle ont apporté leurs noms d'institutions, de guerre, d'agriculture, de chasse, de marine, etc. :

bourg, guerre, hêtre, beffroi, bannière, clapier, héraut, houx.

Les **invasions normandes** au Xe siècle ont enrichi le vocabulaire de la mer et de la navigation, de l'agriculture, etc. :

étrave, varech, vague, hune, houblon, homard, turbot, harnais.

L'**italien et l'espagnol,** dès le XVIe et le XVIIe siècle, ont introduit des mots d'art militaire, de littérature, de peinture, de commerce, de finance, etc. :

infanterie, romance, burlesque, fresque, carnaval, sonnet, banque.

D'**Orient,** d'autres mots ont eu comme intermédiaires l'italien, le portugais ou l'anglais :

abricot, pintade, café, bonze, cachemire, thé.

Des mots venus des **civilisations américaines** ont eu comme intermédiaires l'espagnol ou le portugais :

haricot, acajou, alpaga, cannibale, canot, cacao, jaguar.

L'**allemand,** dès le XVe siècle, a fourni des mots militaires ou d'alimentation :

blocus, obus, bivouac, trinquer, ersatz, choucroute, képi.

Le **néerlandais,** du XIIIe au XVIIe siècle, a donné des termes de marine :

cambuse, foc, matelot, fret, cacatois, étai, beaupré.

L'**arabe** a donné des mots de mathématiques, de sciences, d'institutions, etc. :

algèbre, camphre, amiral, alcool, zénith, alchimie, sofa.

L'**anglais,** dès le XVIIIe siècle, a fourni des mots de sport, de mode, de technique, de politique, de commerce, de marine, d'institutions :

football, dandy, chèque, jury, détective, reporter, snob.

Ex. 6ᵉ : p. 10, 22, 24, 64.
Ex. 5ᵉ : p. 6, 9, 11, 34.
Ex. 4ᵉ-3ᵉ : p. 4 et 8.

6. Les mots d'origine grecque.

Les progrès continus des sciences et des techniques ont entraîné la création d'un grand nombre de termes nouveaux ou *néologismes*. On fait souvent appel, pour les former, au *grec*, auquel on emprunte quelques mots simples qui servent à la formation de *mots composés* en français.

Télé signifie « au loin » « de loin ».
On a formé : ***télé****gramme*, ***télé****phone*, ***télé****mètre*, ***télé****phérique*, ***télé****objectif*, ***télé****vision*, ***télé****pathie*, ***téle****scope*, ***télé****communications*, ***télé****ski*, ***télé****guidage*, etc.

Graphein signifie « écrire », « décrire ».
On a formé : *calli****graphie***, *sténo****graphie***, *bio****graphie***, *géo****graphie***, *topo-****graphie***, *cosmo****graphie***, *photo****graphie***, ***grapho****logie*, *radio****graphie***, ***grapho****-mètre*, ***graph****isme*, ***graph****ique*, etc.

7. Dérivation et composition.

La langue se développe en formant des mots *dérivés* et des mots *composés*.

Un *mot dérivé* est formé en ajoutant au mot simple une syllabe ou un groupe de syllabes, appelé **suffixe :**
Dans *journal****isme***, le suffixe ***-isme*** s'ajoute au mot *journal* pour former un mot dérivé. Ce procédé se nomme la **dérivation.**
Journal est apparu au XIIᵉ siècle; *journalisme*, au XVIIᵉ siècle.

Un *mot composé* est formé en faisant précéder le mot simple d'une syllabe ou d'un groupe de syllabes appelé **préfixe :**
Dans ***pré****juger*, le préfixe ***pré-*** se met au début du mot *juger* pour former un mot composé. Ce procédé se nomme la **composition.**
Juger est apparu au XIIᵉ siècle; *préjuger* est du XVIᵉ siècle.

8. Mots composés de plusieurs termes.

La langue forme un grand nombre de mots nouveaux en joignant deux ou plusieurs mots (nom et nom, adjectif et nom, verbe et nom, etc.). Ce sont les *mots composés* proprement dits :
Chou-fleur; plate-bande; arrière-garde; garde-malade.

On met, le plus souvent, un trait d'union entre les éléments de ces mots.

9. Famille de mots.

La famille de mots est l'ensemble de tous les mots dérivés et composés formés à partir du même mot simple, appelé **radical.**

Famille du mot *classe*.
Dérivés : *classer, classeur, classique, classicisme, classifier, classification, classement.*
Composés avec préfixes : *déclasser, déclassement, surclasser, surclassement, reclasser, reclassement, interclasse.*
Composé avec plusieurs termes : *hors classe, sous-classe.*

10. Les suffixes.

Les suffixes, nombreux et d'origine diverse, ont souvent un sens précis.

Ainsi **-et, -ot, -cule, -ille** indiquent une chose plus petite et sont des **diminutifs :**

*Garçon**net**, îl**ot**, animal**cule**, molé**cule**, brind**ille**, flott**ille**.*

D'autres peuvent avoir plusieurs sens, parfois assez vagues.

Le suffixe **-erie** indique le lieu où s'exerce un métier :
*épic**erie**, sucr**erie**, fond**erie**, tuil**erie**.*

Il peut indiquer la manière d'être ou la collection :
*la gris**erie**, la fourb**erie**, l'argent**erie**.*

Les suffixes s'ajoutent directement aux mots simples, mais l'e muet tombe devant une voyelle et il s'ajoute parfois des consonnes entre le suffixe et le mot simple :
*Serrure, serrur**ier**; pigeon, pigeon**-n-eau**; bijou, bijou**-t-ier**.*

Les suffixes peuvent être :

a) Des *suffixes proprement dits*, particules composées d'une ou plusieurs syllabes : **-able, -ier, -erie, -tion, -oir, -té, -ment,** etc. :
*Insépar**able**, journal**ier**, bois**erie**, posi**tion**, arros**oir**, clar**té**, panse**ment**.*

b) Des *mots d'origine latine ou grecque* servant de suffixes :
Dans *viticulture*, il y a deux mots : ***viti-*** (du lat. *vitis*, vigne) et ***-culture.***
Ce dernier mot joue le rôle de suffixe.

Dans *hydrogène*, il y a deux mots : ***hydro*** (du grec *hudor*, eau) et ***-gène.***
Ce dernier mot joue le rôle de suffixe.

Les suffixes sont souvent différents quand il s'agit des *noms*, des *adjectifs*, des *verbes* ou des *adverbes*. (Voir pages 9 et 10.)

II. Les suffixes proprement dits.

a) Suffixes servant à former des noms.

Suffixe	Sens	Exemples
-ace, -asse	*péjoratif*	populace, filasse
-ade	*action, collectif*	bravade, colonnade
-age	*état, collectif*	balayage, pelage
-aie	*plantation de*	pineraie, roseraie
-ail	*instrument*	éventail, soupirail
-aille	*péjor., collectif*	mangeaille, ferraille
-ain, -en	*origine*	Romain, Vendéen
-aine	*collectif*	dizaine, centaine
-aire	*agent*	commissionnaire
-(a)tion	*action*	fabrication
-ance, -ence	*résultat de l'action*	croyance, espérance, virulence, féculence
-ard	*péjoratif*	fuyard, chauffard
-at	*profession*	internat, rectorat
-âtre	*péjoratif*	marâtre, bellâtre
-(a)ture	*action, instrument*	peinture, armature
aud	*péjoratif*	lourdaud, maraud
-cule, -ule	*diminutif*	animalcule, follicule
-eau, -elle	*diminutif*	chevreau, radicelle
-ée	*contenu*	assiettée, maisonnée
-er, -ier	*agent, métier*	boucher, pâtissier
-erie	*qualité*	pruderie, galanterie
-erie	*local*	charcuterie, fauverie
-esse	*qualité*	sagesse, finesse
-et, -ette	*diminutif*	garçonnet, fillette
-eté	*qualité*	propreté
-eur	*agent*	rôdeur, voleur
-ateur	*agent, métier*	acheteur, dessinateur
-ie	*état*	jalousie, envie
-ien	*profession*	chirurgien, musicien
-illon	*diminutif*	aiguillon, raidillon
-is	*résultat d'une action, état*	ramassis, abattis, fouillis, taillis
-ise	*qualité, défaut*	franchise, sottise
-isme	*doctrine*	fatalisme, idéalisme
-iste	*profession*	modiste, dentiste
-iste	*adepte de*	calviniste, socialiste
-ite	*état maladif*	gastrite, méningite
-ité, -té	*qualité*	charité, amitié
-itude	*qualité, état*	exactitude, servitude
-ment	*action, état*	bêlement, tassement
-oir	*instrument*	perchoir
-oire	*instrument*	baignoire
-ole	*diminutif*	bestiole, carriole
-on, -eron	*diminutif*	ourson, moucheron
-on	*physique*	bévatron, neutron
-ot, -ille	*diminutif*	îlot, brindille
-sion	*action*	cession, fission
-son	*action*	livraison, salaison

b) Suffixes servant à former des adjectifs.

Suffixe	Sens	Exemples
able, -ble	*possibilité*	aimable, audible
-ain, -ien, -ais, -ois, -an	*habitant, origine*	africain, indien, japonais, maltais, birman, chinois
-aire	*qui appartient*	solaire, polaire
-al	*qualité*	vital, glacial
-asse, -ard	*péjoratif*	fadasse, faiblard
-âtre	*dimin. et péjor.*	bleuâtre, douceâtre
-aud	*péjoratif*	noiraud, rustaud
-é	*état*	bosselé, dentelé
-iel	*qui appartient*	concurrentiel
-el	*qui cause*	accidentel, mortel
-esque	*qualité*	moresque, burlesque
-et, -elet	*diminutif*	propret, aigrelet
-eux	*dérivé d'un nom*	peureux, valeureux
-ier	*qualité*	hospitalier, altier
-if	*qualité*	oisif, maladif
-in	*dimin. et péjor.*	blondin, plaisantin
-ique	*qui a rapport à*	chimique, ironique
-iste	*qui se rapporte à*	réaliste, égoïste
-ot	*dimin. et péjor.*	pâlot, vieillot
-u	*qualité*	barbu, charnu

c) Suffixes servant à former des verbes.

Suffixe	Sens	Exemples
-ailler	*péjoratif*	rimailler, tournailler
-asser	*péjoratif*	rêvasser, traînasser
-eler	*dérivé du nom*	marteler
-er	*dérivé du nom*	destiner, vacciner
-eter	*diminutif*	tacheter, voleter
-ifier	*qui rend, cause*	bêtifier, solidifier
-iller	*dimin. et péjor.*	mordiller, babiller
-iner	*diminutif*	trottiner, piétiner
-ir	*dérivé d'adj.*	noircir, verdir
-iser	*qui rend*	angliciser, germaniser
-ocher	*péjoratif*	flânocher, effilocher
-oter	*péjoratif*	vivoter, pianoter
-onner	*péjor. diminut.*	chantonner, tâtonner
-oyer	*devenir*	poudroyer, nettoyer

d) Suffixes servant à former des adverbes.

Suffixe	Sens	Exemples
ment	*manière*	dédaigneusement, vivement
-ons	*manière*	à reculons, à tâtons

12. Mots latins et grecs servant de suffixes.

a) Mots latins.

-cide	*qui tue*	insecticide, régicide
-cole	*relatif à la culture*	viticole, agricole
-culteur	*qui cultive*	agriculteur, motoculteur
-culture	*art de cultiver*	apiculture, horticulture
-fère	*qui porte*	mammifère
-fère	*qui contient*	crucifère

-fique	*qui produit*	prolifique, bénéfique
-forme	*en forme de*	uniforme, filiforme
-fuge	*qui fuit fait fuir*	transfuge, fébrifuge
-pare	*qui enfante*	ovipare, vivipare
-pède	*qui a des pieds*	bipède, quadrupède
-vore	*qui se nourrit*	carnivore, frugivore

b) Mots grecs.

-algie	*douleur*	névralgie, nostalgie
-arche	*qui commande*	patriarche
-archie	*commandement*	monarchie, anarchie
-arque	*qui commande*	monarque
-bar(e)	*pression*	millibar, isobare
-bole	*qui lance*	discobole, parabole
-carpe	*fruit*	péricarpe, endocarpe
-céphale	*tête*	encéphale, microcéphale
-crate	*qui dirige*	bureaucrate, démocrate
-cratie	*pouvoir*	ploutocratie, autocratie
-cycle	*roue*	tricycle, bicycle
-game	*qui s'unit*	cryptogame, bigame
-gamie	*mariage*	polygamie, bigamie
-gène	*qui engendre*	hydrogène, gazogène
-gramme	*un écrit*	télégramme, épigramme
-graphe	*qui écrit*	biographe phonographe
-graphie	*art d'écrire*	calligraphie, géographie
-hydre	*eau*	déshydrater, anhydre
-id(e)	*qui a la forme*	sinusoïde, sphéroïde
-lâtrie	*adoration*	idolâtrie, zoolâtrie
-lithe	*pierre*	monolithe, aérolithe
-logie	*science*	astrologie, théologie
-logue	*qui étudie*	astrologue, neurologue
-mancie	*divination*	cartomancie chiromancie
-mane	*passionné de*	opiomane, mélomane
-manie	*passion manie*	monomanie, anglomanie
-mètre	*mesure*	diamètre, podomètre
-morphe	*forme*	anthropomorphe

-nome	*qui règle*	économe, métronome
-nomie	*art de régler*	autonomie, gastronomie
-onyme	*nom*	synonyme, anonyme
-pathe	*malade de*	névropathe
-pathie	*passion maladie*	sympathie, apathie
-pédie	*éducation*	encyclopédie
-phage	*qui mange*	anthropophage
-phagie	*action de manger*	aérophagie hippophagie
-phile	*ami de*	russophile
-philie	*amitié pour*	bibliophilie
-phobe	*ennemi de*	anglophobe
-phobie	*inimitié pour*	agoraphobie
-phone	*transmettant*	magnétophone
-phonie	*le son*	radiophonie
-phore	*qui porte*	sémaphore, doryphore
-pode	*pied*	gastéropode
-ptère	*aile*	aptère, hélicoptère
-scope	*qui voit*	télescope
-scopie	*vision*	radioscopie
-sphère	*une sphère*	stratosphère
-technie	*science*	électrotechnie
-technique	*qui sait*	polytechnique
-thèque	*armoire*	bibliothèque
-thérapie	*guérison*	héliothérapie
-thérapique	*qui guérit*	héliothérapique
-tome	*qui coupe*	tome, atome
-tomie	*action de couper*	trachéotomie
-type	*impression*	linotype
-type	*exemplaire*	prototype
-typie	*qui imprime*	stéréotypie, linotypie

13. Les préfixes.

Les préfixes, d'origine latine ou grecque, se placent au début du mot, mais ils subissent parfois des modifications au contact de la consonne initiale du mot simple :

in- marque la privation : ***in**-actif; **im**-patient; **ir**-réalisable; **il**-logique.*

On distingue :

1. Les préfixes proprement dits : *circum-* (autour), *ex-* (hors de), etc.;
2. Les mots d'origine latine ou grecque jouant le rôle de préfixes :

Dans ***bio**graphe, **bio**logie,* etc., ***bio-*** (du grec *bios,* vie) est un préfixe.

14. Les préfixes proprement dits.

a) Les préfixes d'origine latine.

Préfixe	Sens	Exemples
ab-, abs-	*loin de*	abduction, abstinence
ad-	*vers*	adjoint, adhérence
ambi-	*deux*	ambidextre
anté-	*avant*	antédiluvien
anti-	*avant*	antichambre
bis-, bi-	*deux*	biscuit, bipède
circum-	*autour*	circumnavigation
circon-	*autour*	circonvolution
co-, col-, com-, cor-	*avec*	coadjuteur, collaborateur, commandant
dis-, dé-, des-, di-	*séparé de*	dissymétrie, disjoncteur, désunion, digression
ex-	*hors de*	expatrier, exporter
é-, ex-	*privé de*	édenté, exfolié
extra-	*très*	extra-fin, extra-dry
extra-	*hors de*	extraordinaire
il-, ir-	*privé de*	illettré, irrespect
in-, im-,	*dans*	infiltrer, importer
inter-	*entre*	international
entre-	*entre*	entresol
intra-	*au-dedans*	intraveineux intramuros
juxta-	*auprès de*	juxtaposer, jouxter
male-, mau-	*mal*	malédiction, maudire
pén(é)-	*presque*	pénéplaine, pénultième
per-, par-	*à travers*	perforer, parcourir
post-	*après*	postdater, post-scriptum
pré-	*devant*	précéder, préhistoire
pro-, por-, pour-	*en avant devant*	projeter pourtour
quasi-	*presque*	quasi-délit, quasi-contrat
ré-, r(e)-	*de nouveau*	réargenter, revivre
rétro-	*en retour*	rétroviseur, rétrograde
simili-	*semblable*	similigravure
sub-, sous-, suc-	*sous*	subalterne, sous-location, succomber
super-, sur-, supra-	*au-dessus*	superstructure surhomme, supranational
trans,- tré-, tres-	*au-delà, à travers*	transhumant, trépasser, tressaillement
tri-, tris-	*trois*	tripartite, trisaïeul
ultra- outre-	*au-delà de*	ultraviolet, outre-mer
vice-, vi-	*à la place de*	vice-consul, vicomte

b) Les préfixes d'origine grecque.

Préfixe	Sens	Exemples
a-, an-	*privé de*	anormal, anarchie
amphi-	*autour, double*	amphithéâtre, amphibie
anti-	*contre*	antialcoolique, antichar
apo-	*loin de*	apostrophe, apostasie
arch(i)-	*au plus haut degré*	archifou, archimillionnaire, archiépiscopal
cata-	*de haut en bas*	cataracte, catastrophe
di(a)-	*à travers séparé de*	diaphane, diagonal
dys-	*avec difficulté*	dysenterie, dyspepsie
en-	*dans*	endémique, encéphale
end(o)-	*dedans*	endocarde, endocrine
épi-	*sur, vers*	épiderme, épicentre
eu-	*bien*	euphonie, euphémisme
hémi-	*demi*	hémisphère, hémicycle
hyper-	*au-dessus*	hypertrophie, hyperbole
hypo-	*sous*	hypogée, hypoténuse
méta-	*changement après*	métamorphose métacarpe
par(a)-	*contre, près de*	parallèle, paradoxe, paratyphoïde
péri-	*autour*	périscope, périmètre
pro-	*pour, devant*	programme, prothèse
syn-, sym-	*avec*	syndicat, sympathie

15. Mots latins et grecs servant de préfixes.

a) Mots latins.

acét(o)-	*vinaigre*	acétate, acétique
aqui-	*eau*	aquifère, aquiculture
arbor-	*arbre*	arboriculture, arborigène
calc-	*chaux*	calciner, calcaire
calor-	*chaleur*	calorifère, calorimètre
carbon-	*charbon*	carbonifère, carboniser
carn-	*chair*	carnivore, carnassier
déci-	*dix*	décimètre, décimer
igni-	*feu*	ignition, ignifugé
lact-	*lait*	lactique, lactose
moto-	*qui meut*	motorisation, motoculture
multi-	*nombreux*	multiforme, multiple
octa-, octo-	*huit*	octaèdre, octosyllabe
omni-	*tout*	omnivore, omnipotent
prim(i)-	*premier*	primordial, primeur
quadr(i)-	*quatre*	quadrant, quadrillage
quinqu-	*cinq*	quinquennal
quint-	*cinquième*	quintessence, quintette
radio-	*rayon*	radiologie, radiographie
uni-	*un seul*	unicellulaire, unifier

b) Mots grecs.

aéro-	*air*	aéronaute, aéroplane
anthropo-	*homme*	anthropophage
arché(o)-	*ancien, antique*	archéologie, archéologue
auto-	*de soi-même*	automobile, autodidacte
baro-	*pesant*	baromètre, baroscope
biblio-	*livre*	bibliothèque
bio-	*vie*	biographie, biologie
caco-	*mauvais*	cacophonie, cacochyme
chrom(o)-	*couleur*	chromolithographie
chrono-	*temps*	chronomètre, chronologie
chrys(o)-	*or*	chrysolithe, chrysanthème
cinémat(o)-	*mouvement*	cinématographie
crypt(o)-	*caché*	cryptogramme
dactyl(o)-	*doigt*	dactylographie
dém(o)-	*peuple*	démographie, démocrate
dynam(o)-	*force*	dynamite, dynamisme
gaster-, tro-	*ventre*	gastéropode, gastronome
gé(o)-	*terre*	géologie, géographie
hélio-	*soleil*	héliotrope, héliogravure
hémat(o)- **hémo-**	*sang*	hématome, hémophilie, hémoptysie
hipp(o)-	*cheval*	hippodrome, hippophage
homéo- **hom(o)-**	*semblable*	homéopathie, homologue
hydr(o)-	*eau*	hydrographie, hydrique
iso-	*égal*	isotherme, isomère
lith(o)-	*pierre*	lithographie, lithiase
macro-	*grand*	macrocéphale, macropode
méga-	*grand*	mégalomane, mégalithe
més(o)-	*milieu*	Mésopotamie, mésothorax
métr(o)-	*mesure*	métronome, métrologie
nécro-	*mort*	nécropole, nécrophage
néo-	*nouveau*	néologisme, néophyte
neuro- **nevr-**	*nerf*	neurologue, névrite
ophtalm-	*œil*	ophtalmologie
oro-	*montagne*	orographie, orogénie
ortho-	*droit*	orthographe, orthopédie
paléo-	*ancien*	paléolithique
pan-	*tout*	panthéisme
pant(o)-	*tout*	pantomime
patho-	*souffrance*	pathologie, pathogène
ped-	*enfant*	pédagogie, pédiatrie
penta-	*cinq*	pentagone, pentamètre
phago-	*manger*	phagocyte, phagocytose
phil(o)-	*aimer*	philanthrope, philatélie
phon(o)-	*voix*	phonographe, phonétique
photo-	*lumière*	photographie, photocopie
pneum(o)-	*air, souffle*	pneumatique, pneumonie
poly-	*nombreux*	polygone, polyglotte
pseud(o)-	*faux*	pseudonyme
pyr(o)-	*feu*	pyrotechnie, pyromètre
techn(o)-	*art*	technique, technologie
tétra-	*quatre*	tétralogie, tétraèdre
théo-	*dieu*	théologie, théocratie
thermo-	*chaleur*	thermomètre thermogène
top(o)-	*lieu*	toponymie, topographie
typo-	*caractère*	typographe, typomètre
xén(o)-	*étranger*	xénophobe, xénophile
xylo-	*bois*	xylophone, xylographie
zoo-	*animal*	zoologie, zoographie

*Ex. 6e* : p. 8, 10, 22, 24, 64.
*Ex. 5e* : p. 9, 11, 34.
*Ex. 4e-3e* : p. 8, 12, 17.

16. Les formations expressives.

Les formations expressives sont les diminutifs, les péjoratifs et les onomatopées.

Les diminutifs.

Menotte, diminutif de *main.*
Maisonnette, diminutif de *maison.*

Formés avec des suffixes, ils expriment généralement une nuance de petitesse; il s'y joint souvent une nuance d'affection ou de mépris (voir p. 9).

Les péjoratifs.

Chauffard, péjoratif de *chauffeur.*
Populace, péjoratif de *peuple.*

Formés avec des suffixes, ils font passer sur le mot le mépris dans lequel on tient l'être ou l'objet dont on parle, et sont souvent familiers (voir p. 9)

Les onomatopées.

Coucou; tic tac; patatras.
Roucouler, ronronner; caqueter.

Ces mots, qui reproduisent certains bruits entendus, peuvent devenir de véritables noms ou donner naissance à des verbes.

17. Les changements de nature.

Un mot est d'abord un nom, un adjectif ou un verbe, mais il peut changer de nature en changeant de sens.

Le **nom** peut devenir **adjectif.** — *Griller des* ***marrons.*** *Des vestes* ***marron.***

L'**adjectif** peut devenir **nom,** — *Il est* ***malade.*** *Il soigne les* ***malades.***
adverbe, — *Un* ***faux*** *pas. Il chante* ***faux.***
préposition. — *Il est sain et* ***sauf. Sauf*** *votre respect.*

Le **participe** peut devenir **adjectif,** — ***Obéissant*** *à sa mère. Fils* ***obéissants.***
nom, — ***Assuré*** *contre le vol. Les* ***assurés*** *sociaux.*
préposition. — *En* ***suivant*** *la route.* ***Suivant*** *ce qu'il dira.*

L'**infinitif** peut devenir **nom.** — *Il croit* ***devoir*** *le dire. Il fait son* ***devoir.***

L'**adverbe** peut devenir **nom,** — *Rester* ***dehors.*** *Des* ***dehors*** *insignifiants.*
adjectif. — *Il dort* ***bien.*** *Des gens très* ***bien.***

18. Sens propre et sens figuré.

Les mots désignent d'abord, le plus souvent, une réalité concrète; ils ont un *sens propre* :

*Un **chemin** est une voie de terre pour aller d'un lieu dans un autre.*

Mais on peut employer un mot dans un sens imaginé; il a un *sens figuré* :

*Le **chemin** du bonheur. Le **chemin** de la vie.*

19. L'évolution du sens des mots.

Les mots ne gardent pas le même sens au cours de l'histoire de la langue. Ils peuvent subir des modifications, dont les principales sont :

Une **extension** de sens.

Panier désignait la corbeille destinée au *pain*. C'est maintenant l'ustensile portatif destiné au transport de denrées de toutes sortes.

Une **restriction** de sens.

Émouvoir était employé au *sens propre*, « mettre en mouvement » : *émouvoir des cloches*. Il n'existe plus qu'au *sens figuré : drame émouvant.*

Un **affaiblissement** de sens.

Triste signifiait « farouche, funeste ». Il signifie maintenant « morne, déplorable, chagrinant ».

Un **renforcement** de sens.

Génie signifiait « caractère ». Il signifie maintenant « le plus haut degré de l'intelligence ».

20. Synonymes.

Les synonymes sont des mots qui ont à peu près la même signification et qui ne se distinguent que par une nuance de sens :

*Un homme **fier** est soucieux de son honneur et de sa dignité.*
*Un homme **orgueilleux** admire ce qu'il fait et ce qu'il dit.*
*Être **hautain**, c'est humilier les autres pour se grandir.*
*Être **altier**, c'est être impérieux et méprisant.*

Fier, orgueilleux, hautain et ***altier*** sont des **synonymes.**

21. Homonymes.

Les homonymes sont des mots qui se prononcent de la même manière quoique *leur orthographe* et *leur sens diffèrent totalement*, ou qui ont une *même orthographe*, mais des *sens différents* :

Sceau, seau, sot, saut sont des **homonymes.**

De même, les deux mots ***cousin,*** l'un désignant un insecte, l'autre un parent, sont des **homonymes.**

Ex. 6e : p. 6 et 8.
Ex. 5e : p. 4.
Ex. 4e-3e : p. 14.

LE MOT ET LA PHRASE

22. Les espèces de mots.

On distingue, suivant leur *sens* et leur *forme* :
Les **mots variables :** nom, adjectif, article, pronom, verbe;
Les **mots invariables :** adverbe, préposition, conjonction, interjection.

23. Les fonctions du mot.

Le mot dans la phrase a une **fonction** logique et grammaticale.
Par sa nature, il est propre à jouer tel ou tel rôle pour exprimer une pensée ou un sentiment.
Par son emploi, il est en relation avec les autres mots dont l'ensemble constitue la **phrase.**

Le **verbe** exprime une action ou un état.
*Le chasseur **marche** dans la plaine. Le jardin **reste** inculte.*

Le **nom** indique l'être ou la chose qui fait ou subit l'action; il précise encore une circonstance de cette action.
*Depuis plusieurs **jours,** les **vagues** frappaient la **digue** avec **violence.***

L'**article** détermine le nom et en précise le genre et le nombre.
***Un** concert sera donné dans **la** salle **des** fêtes.*

L'**adjectif** indique une qualité ou précise le nom.
*Un **fin** voilier. **Mon** frère a lu **ce** livre **deux** fois.*

Le **pronom** remplace un nom ou indique la personne qui agit ou subit.
J'**ai prêté mon stylo à Jean, car **il** avait perdu **le sien.

L'**adverbe** modifie le sens d'un adjectif, d'un verbe ou d'un autre adverbe.
*Il s'installe **commodément.** Un **fort** beau temps. **Très** peu.*

La **conjonction** et la **préposition** établissent des rapports entre les mots ou les groupes de mots.
*Les parents **et** les amis **de** l'invité le félicitèrent.*

L'**interjection** souligne une exclamation de colère, de surprise, de dépit, etc.
***Hélas**! tout est perdu! **Oh!** il n'est pas rentré!*

24. La phrase.

Les mots unis par le sens forment une *phrase* exprimant une idée.

Mais chaque phrase se compose d'une ou de plusieurs ***propositions*** qui sont les aspects ou les moments divers de l'idée principale; *chaque proposition contient, en principe, un* **verbe** *à un mode personnel.*

Je le veux bien, puisque vous le voulez.

25. La ponctuation.

Les signes de ponctuation servent à séparer les phrases, les propositions, les mots entre eux, pour obéir à un besoin de clarté ou pour marquer une nuance de la pensée ou une intonation.

Le point (.) indique la fin de la phrase.
La maison est au sommet de la colline.

La virgule (,) sépare des éléments juxtaposés ou apposés : sujets, verbes, adjectifs, etc., ou des propositions circonstancielles, relatives à valeur explicative, incises, participiales. Elle marque une courte pause.
On voit le ciel, la mer, la côte. Cette maison, vieille, grande, massive, sorte de forteresse, était inhabitée. Je vois, dit-il, que vous comprenez.

Le point-virgule (;) sépare deux aspects d'une même idée. Il marque une pause un peu plus longue que la virgule.
Le chien, qui sommeillait, s'éveilla en sursaut; il dressa l'oreille.

Le point d'interrogation (?) se place à la fin des phrases exprimant une interrogation directe.
Quand aurons-nous terminé? Que veut-il?

Le point d'exclamation (!) s'écrit après les interjections ou les phrases exprimant un sentiment vif.
Attention! Comme je vous plains!

Le tiret (—) indique le début d'un dialogue ou le changement d'interlocuteur; il s'emploie pour mettre en valeur un mot ou une expression.
Êtes-vous prêt? — Pas encore. L'autre chien — le vieux — dormait.

Les points de suspension (...) indiquent que la pensée n'est pas complètement exprimée. Ils marquent aussi une pause mettant en valeur ce qui suit.
S'il avait voulu... Cette absence me paraît... surprenante.

Les guillemets (« ») se mettent au commencement et à la fin d'une citation ou de la reproduction exacte des paroles de quelqu'un, ou d'une expression étrangère au langage courant.
« Venez me voir demain », dit-il. La « polenta » est un mets italien.

Les deux points (:) précèdent une citation ou un développement explicatif.
Il s'écria : « Lâchez-moi! » Je n'avance pas : je suis sans cesse dérangé.

Les parenthèses ( ) indiquent une phrase ou une réflexion accessoire.
On annonça (et chacun s'en doutait) que le vainqueur ne viendrait pas.

Ex. 6e : p. 20.
Ex. 5e : p. 6.
Ex. 4e-3e : p. 17 et 19.

LE NOM

26. Définition du nom.

Le *nom* est un mot *variable*, qui désigne soit un *être animé* (personne ou animal), soit une *chose* (objet ou idée) :

berger, chat, table, honneur.

On distingue selon le sens :

Les *noms concrets*, qui désignent des *êtres vivants* ou des *objets;*
Les *noms abstraits*, qui expriment des *idées*, des *qualités*.

Navire est un nom concret; ***fermeté*** est un nom abstrait.

On distingue selon la forme :

Les *noms simples*, formés d'*un seul mot.*

Timbre est un nom simple.

Les *noms composés*, formés de la *réunion de plusieurs mots* (v. p. 7).

Portemanteau est un nom composé écrit en un seul mot;
timbre-poste est un nom composé écrit en plusieurs mots.

27. Noms communs et noms propres.

Les noms se répartissent en *noms communs* et en *noms propres*.

Les *noms communs* désignent tous les êtres, les choses d'une même espèce :

*Le **fauteuil** du salon* est un nom commun; il désigne un objet particulier, mais qui répond à une définition générale; le nom *fauteuil* est *commun* à tous les objets de la même espèce que lui.

Les *noms propres* donnent aux êtres vivants ou aux choses personnifiées une personnalité qui en fait des individus distincts des autres :

Louis,** le **Français,** la **Loire, noms propres, prennent la majuscule.

Un nom propre est parfois employé comme nom commun, et inversement:

*Le **bordeaux** est un vin de la région de **Bordeaux.***
***Hercule** est un héros mythologique. Un **hercule** est un homme très fort.*

28. Les genres.

Les noms peuvent être de deux genres, du *masculin* ou du *féminin* :
Le *frère* (masculin); **la** *sœur* (féminin).

Les *noms de personne* sont du masculin ou du féminin suivant le sexe :
Le *père;* **la** *mère;* **le** *soldat;* **la** *concierge.*

Toutefois, *une* **ordonnance,** *une* **vigie,** *une* **estafette** et *une* **clarinette** désignant des hommes sont du féminin, tandis qu'*un* **mannequin,** *un* **bas-bleu,** *un* **laideron** et *un* **cordon-bleu,** désignant des femmes, sont du masculin.

Les *noms de chose* sont répartis par l'usage dans l'un ou l'autre genre.
Une *table,* **un** *banc,* **une** *chaise,* **un** *lit.*

La présence de certains **suffixes** permet de reconnaître le genre des noms :
Suffixes de noms **masculins** *:* -age, -ail, -ament, -ement, -ier, -illon, -in, -is, -isme, -oir, -teur.

Suffixes de noms **féminins** *:* -ade, -aie, -aille, -aine, -aison, -ance, -ande, -ée, -ie, -ille, -ise, -ison, -itude, -oire, -té, -tion, -trice, -ure.

En outre, quelques catégories de noms appartiennent à un genre déterminé. Sont ordinairement **masculins :**

les noms d'*arbres* : **un** *chêne,* **un** *pin,* **un** *hêtre;*

les noms de *métaux* : **le** *fer,* **le** *zinc,* **le** *cuivre;*

les noms de *langues* : **le** *français,* **le** *chinois,* **le** *turc.*

Sont habituellement **féminins :**

les noms de *sciences* : **la** *physique,* **la** *chimie.*

Une exception : **le** *droit.*

29. Les nombres.

Les noms peuvent être au *singulier* ou au *pluriel* : le singulier désigne un seul être ou une seule chose; le pluriel désigne plusieurs êtres ou plusieurs choses :
Un *chat* (singulier); **des** *chats* (pluriel).

Toutefois, certains noms appelés *noms collectifs* désignent au singulier un *groupe d'êtres ou de choses :*
Le bétail; la foule; la flotte française.

Ex. 6e : p. 26.
Ex. 5e : p. 6 et 14.
Ex. 4e-3e : p. 19.

FÉMININ DES NOMS

30. La formation du féminin.

En général, le féminin d'un nom se forme en ajoutant un **e** au masculin.
*Un **ami**, une **amie**. Un **candidat**, une **candidate**.*

Les noms terminés en **-e** au masculin ne varient pas au féminin.
*Un **artiste**, une **artiste**.*

Quelques-uns le forment avec le suffixe **-esse.**
*Un **prince**, une **princesse**.*

Les noms masculins en **-oux** et **-eur** ont le féminin en **-ouse** et **-euse.**
*Un **époux**, une **épouse**. Un **danseur**, une **danseuse**.*

Quelques noms en **-eur** ont le féminin en **-eresse.**
*Un **vengeur**, une **vengeresse**.*

La plupart des noms masculins en **-teur** ont le féminin en **-trice.**
*Un **acteur**, une **actrice**. Le **lecteur**, la **lectrice**.*

Les noms masculins terminés en **-er** ont le féminin en **-ère.**
*Un **fermier**, une **fermière**. Le **boucher**, la **bouchère**.*

Les noms masculins terminés en **-el** et **-eau** ont le féminin en **-elle.**
***Gabriel, Gabrielle.** Le **jumeau**, la **jumelle**.*

Les noms masculins terminés en **-ien** et **-ion** doublent l'**n** au féminin.
*Le **gardien**, la **gardienne**. Un **lion**, une **lionne**.*

Les noms terminés au masculin en **-in** et **-an** ont un féminin régulier en **-e** sans doubler l'**n.** Toutefois, *paysan* et *Jean* font au féminin *paysanne* et *Jeanne*.
*Un **cousin**, une **cousine**. Un **faisan**, une **faisane**.*

Les noms masculins terminés par un **t** ont un féminin régulier en **-e.**
*Un **candidat**, une **candidate**.*

Sauf quelques-uns, comme *chat*, qui doublent le **t** au féminin.
*Un **chat**, une **chatte**.*

Les noms terminés au masculin par un **p** ou un **f** ont un féminin en **-ve.**
*Un **loup**, une **louve**. Un **veuf**, une **veuve**.*

31. Féminins irréguliers.

Le mot qui sert de féminin à un nom peut être *indépendant* du masculin :

roi,	*reine*	serviteur,	*servante*	empereur,	*impératrice*
mari,	*femme*	parrain,	*marraine*	fils,	*fille*
gendre,	*bru*	dieu,	*déesse*	neveu,	*nièce*
duc,	*duchesse*	pair,	*pairesse*	frère,	*sœur*
docteur,	*doctoresse*	héros,	*héroïne*	oncle,	*tante*
bouc,	*chèvre*	lièvre,	*hase*	cerf,	*biche*
jars,	*oie*	bélier,	*brebis*	veau,	*génisse*, etc.

Certains noms, désignant principalement des professions, *n'ont pas de féminin particulier;* on peut alors les faire précéder du mot *femme :*

Un ***auteur,*** *une* ***femme auteur;*** *un* ***peintre,*** *une* ***femme peintre.***

Mais la langue a formé aussi des *féminins :*

Un ***avocat,*** *une* ***avocate.*** *Un* ***pharmacien,*** *une* ***pharmacienne.***
Un ***conseiller municipal,*** *une* ***conseillère municipale.***

Certains noms, désignant des animaux, n'existent qu'au masculin ou au féminin; si l'on veut préciser, on est obligé de joindre à ces noms le mot *mâle* ou *femelle :*

Un ***serpent mâle;*** *un* ***serpent femelle.***
Une ***hirondelle mâle;*** *une* ***hirondelle femelle.***

32. Particularités sur le genre de certains noms.

Certains noms *changent de genre* en passant du singulier au pluriel.

Amour est masculin au singulier et souvent féminin au pluriel.

Un ***grand amour;*** *de* ***folles amours.***

Délice est masculin au singulier, féminin au pluriel.

Un ***pur délice; toutes*** *mes* ***délices.***

Orgue est masculin au singulier et féminin au pluriel (désignant un seul instrument).

Un ***orgue excellent;*** *jouer aux* ***grandes orgues.***

Certains mots hésitent entre les deux genres, par exemple : *après-midi, effluve, palabre, alvéole, Pâques :*

Un bel *après-midi* ou **une belle** *après-midi.*

Gens est normalement du masculin :

Il y a des ***gens*** *très* ***courageux.***

Toutefois, dans quelques rares expressions : ***les vieilles gens, les bonnes gens, les petites gens,*** il est accompagné d'un adjectif épithète au féminin, mais d'un adjectif attribut au masculin :

Les ***vieilles gens*** *sont* ***polis.***

Chose et **personne** sont des noms féminins, mais, employés comme pronoms indéfinis, ils sont du masculin :

Une chose *intéressante;* ***quelque chose*** *d'important.*
Une personne *vive.* ***Personne*** *n'est venu.*

Certains noms ont un sens différent au masculin et au féminin :

Un manœuvre est un ouvrier non spécialisé; ***une manœuvre*** est un exercice ou un mouvement. ***Un aigle*** est un oiseau de proie; ***une aigle*** est la femelle de l'aigle, mais peut aussi désigner un étendard, etc.

Ex. 6ᵉ : p. 28 et 30. *Ex. 5ᵉ* : p. 14 et 16. *Ex. 4ᵉ-3ᵉ* : p. 21.

PLURIEL DES NOMS

33. Le pluriel des noms communs.

En général, le pluriel de ces noms se forme en ajoutant un **s** au singulier.
*Un **ennui**, des **ennuis**. Un **lit**, des **lits**.*

Le pluriel et le singulier sont semblables dans les noms terminés par **-s, -x, -z.**
*Un **bois**, des **bois**. Une **noix**, des **noix**. Un **nez**, des **nez**.*

Les noms en **-al** ont le pluriel en **-aux.** Mais *bal, carnaval, cérémonial, chacal, choral, festival, pal, récital, régal, santal*, etc., suivent la règle générale.
*Un **cheval**, des **chevaux**. Un **chacal**, des **chacals**.*

Le pluriel des noms terminés en **-eau, -au** et **-eu** se forme en ajoutant un **x** au singulier. Font exception : *landau, sarrau, bleu, pneu,* qui prennent un **s** au pluriel.
*Un **veau**, des **veaux**. Un **feu**, des **feux**.*
*Un **étau**, des **étaux**. Un **pneu**, des **pneus**.*

Le pluriel des noms terminés par **-ou** est en général en **-ous.** Font exception : *bijou, caillou, chou, genou, hibou, joujou, pou,* qui prennent un **x** au pluriel.
*Un **cou**, des **cous**. Un **chou**, des **choux**.*

Les noms terminés au singulier par **-ail** ont un pluriel régulier en **-ails.** Sauf *bail, corail, émail, soupirail, travail, vantail, vitrail,* qui ont le pluriel en **-aux.**
*Un **rail**, des **rails**. Un **travail**, des **travaux**.*

Les noms **aïeul, ciel** et **œil** ont des pluriels irréguliers; mais on dit *bisaïeuls, trisaïeuls*, et *aïeuls* dans le sens de « grands-parents », ***ciels*** dans *ciels de lit, les ciels d'Ile-de-France*, et **œils** dans *œils-de-bœuf*, etc.
*L'**aïeul**, les **aïeux**. Le **ciel**, les **cieux**. L'**œil**, les **yeux**.*

34. Le pluriel des noms communs étrangers.

Le pluriel des **noms étrangers** est formé comme le pluriel des noms communs.
*Un **référendum**, des **référendums**.*

Certains de ces noms ont conservé le **pluriel d'origine étrangère** à côté du **pluriel français;** toutefois, ce dernier tend maintenant à devenir le plus fréquent.
*Un **maximum**, des **maxima** ou des **maximums**.*
*Un **dilettante**, des **dilettanti** ou des **dilettantes**.*

Certains noms d'**origine anglaise**, ou **allemande** restent invariables ou gardent le pluriel étranger, mais ils sont rares.
*Un **gentleman**, des **gentlemen**. Un **lied**, des **lieder**.*

35. Le pluriel des noms propres.

Le pluriel des **noms géographiques** est régulièrement formé comme celui des noms communs.

*Une **Antille**, les **Antilles**. L'**Amérique**, les **Amériques**.*

Les **noms de personne** prennent la marque du pluriel :

Quand ils désignent les **familles royales** ou les **familles illustres** : *Les **Bourbons**, les **Tudors**. Les **Condés**, les **Ségurs**.*

Quand ils servent de **modèles** ou **types** : *Les **Hugos**, les **Pasteurs**.*

Quand le nom de l'auteur désigne ses **œuvres artistiques** : *Des **Renoirs**, des **Watteaux**.*

Ils restent *invariables* quand ils sont pris dans un sens emphatique, grandiloquent et précédés de l'article.

*Les **Molière** et les **Racine** sont l'image de leur temps.*

36. Le pluriel des noms composés.

1. Les noms composés **écrits en un seul mot** forment leur pluriel comme des noms simples.

*Un **entresol**, des **entresols**. Un **gendarme**, des **gendarmes**.*

Toutefois, on dit *gentilshommes, bonshommes, messieurs, mesdames, mesdemoiselles, messeigneurs,* pluriels de *gentilhomme, bonhomme, monsieur, madame, mademoiselle, monseigneur.*

2. Les noms composés **écrits en plusieurs mots** :

a) S'ils sont formés d'**un adjectif** et d'**un nom,** tous deux prennent la marque du pluriel.

*Un **coffre-fort**, des **coffres-forts**. Une **basse-cour**, des **basses-cours**.*
*Un **château fort**, des **châteaux forts**.*

b) S'ils sont formés de **deux noms en apposition,** tous deux prennent la marque du pluriel.

*Un **chou-fleur**, des **choux-fleurs**. Un **chef-lieu**, des **chefs-lieux**.*

c) S'ils sont formés d'**un nom** et de son **complément** introduit ou non par une préposition, le premier nom seul prend la marque du pluriel.

*Un **chef-d'œuvre**, des **chefs-d'œuvre**. Un **timbre-poste**, des **timbres-poste**.*
*Une **pomme de terre**, des **pommes de terre**.*

d) S'ils sont formés d'**un mot invariable** et d'**un nom,** le nom seul prend la marque du pluriel.

*Un **avant-poste**, des **avant-postes**. Un **en-tête**, des **en-têtes**.*

e) S'ils sont formés de **deux verbes** ou d'**une expression,** tous les mots restent invariables.

*Un **va-et-vient,** des **va-et-vient.***
*Un **tête-à-tête,** des **tête-à-tête.***

f) S'ils sont composés d'**un verbe** et de son **complément,** le verbe reste invariable, le nom conserve en général la même forme qu'au singulier (ainsi dans tous les composés de **abat-, cache-, porte-, presse-**).

*Un **abat-jour,** des **abat-jour.** Un **presse-purée,** des **presse-purée.***
*Un **porte-plume,** des **porte-plume.** Un **cache-col,** des **cache-col.***
*Un **gratte-ciel,** des **gratte-ciel.***

Toutefois, dans un certain nombre de noms composés de cette sorte, le nom prend la marque du pluriel.

*Un **couvre-lit,** des **couvre-lits.***
*Un **tire-bouchon,** des **tire-bouchons.***

g) Dans les noms composés avec le mot **garde,** celui-ci peut être un *nom* ou un *verbe*. S'il est un **nom,** il prend la marque du pluriel et le nom qui suit reste invariable; s'il est un **verbe,** il reste invariable et le nom qui suit peut prendre ou non la marque du pluriel, selon le sens.

*Un **garde-voie,** des **gardes-voie.***
Garde désigne la personne chargée de la garde de la voie.

*Un **garde-boue,** des **garde-boue.***
Ici *garde* est un verbe. Objet qui garde, protège de la boue.

h) Dans les noms composés avec l'adjectif **grand,** celui-ci est resté longtemps invariable s'il accompagnait un nom féminin.

*Une **grand-mère,** des **grand-mères.** Un **grand-père,** des **grands-pères.***

Toutefois, la grammaire de l'Académie écrit :

*Une **grand-mère,** des **grands-mères.***

Exception : *Une **grande-duchesse,** des **grandes-duchesses.***

37. Les changements de sens au pluriel.

Certains noms ont un sens différent au singulier et au pluriel :

*Le sculpteur se sert d'**un ciseau*** (instrument de fer plat et tranchant).
*On utilise **les ciseaux** pour couper* (instrument fait de deux lames croisées).
De même : *appât, assise, lunette, vacance,* etc.

Certains noms ne s'emploient qu'au pluriel.

agrès, annales, archives, arrhes, broussailles, décombres, fiançailles, funérailles, mœurs, obsèques, pleurs, ténèbres, etc.

LES FONCTIONS DU NOM

Ex. 6e : p. 38. — *Ex. 5e* : p. 18. — *Ex. 4e-3e* : p. 23.

38. Les fonctions du nom.

Un nom peut être :

Sujet;
Complément du nom;
Complément de l'adjectif;
Mis en **apposition;**
Mis en **apostrophe;**
Complément d'objet direct;
Complément d'objet indirect;
Attribut du sujet;
Attribut de l'objet;
Complément d'agent;
Complément d'attribution;
Complément circonstanciel.

39. LE SUJET.

Un nom est *sujet d'un verbe* quand il désigne la personne ou l'objet qui *fait l'action* ou qui est *dans l'état indiqué* par le *verbe actif* :

Les ***arbres perdent*** *leurs feuilles en automne.*
Arbres, sujet de **perdent.**

Le ***vent se lève.***
Vent, sujet de **se lève.**

*L'****enfant semblait*** *perdu au milieu de cette foule.*
Enfant, sujet de **semblait.**

Un nom est *sujet d'un verbe passif* quand il désigne la personne ou la chose qui *subit l'action* indiquée par le verbe :

Le ***discours fut prononcé*** *par le préfet.*
Discours, sujet de **fut prononcé.**

Le sujet répond à la question *qui est-ce qui?* ou *qu'est-ce qui?* posée avant le verbe :

Pierre tombe.
Qui est-ce qui tombe? *Pierre.* **Pierre,** sujet de **tombe.**

La boue tache les jambes.
Qu'est-ce qui tache? *la boue.* **Boue,** sujet de **tache.**

40. Sujet d'un verbe à un mode personnel ou impersonnel.

Un nom peut être sujet d'un verbe à un mode personnel : indicatif, conditionnel, subjonctif :

Les ***assistants se mirent*** *à rire de sa maladresse.*
Assistants, sujet de **se mirent.**

Il est plus rarement sujet d'un infinitif (voir p. 139, *Proposition infinitive*) :

*Il vit l'****avion atterrir*** *sur la piste.*
Avion, sujet de **atterrir.**

Grenouilles *aussitôt de* ***sauter*** *dans les ondes.* (Voir p. 112.)
Grenouilles, sujet de **sauter.**

Il peut être aussi sujet d'un participe (voir p. 151, *Proposition participiale*) :

Le ***repas fini,*** *il prit son journal pour le lire.*
Repas, sujet de **(étant) fini.**

Ce ***film*** *me* ***déplaisant,*** *je suis sorti du cinéma.*
Film, sujet de **déplaisant.**

41. Sujet non exprimé.

Le sujet n'est pas exprimé quand le verbe est à l'impératif, ou dans certaines expressions qui remontent à l'ancien français :

Allons *voir ce qui se passe.*
Peu ***importe*** (c'est-à-dire : il importe peu).

42. Sujet réel et sujet apparent.

Dans les verbes impersonnels ou pris impersonnellement (voir p. 81), on distingue le *sujet apparent* et le *sujet réel*. Le sujet réel, placé après le verbe, fait ou subit l'action indiquée par le verbe. Le sujet apparent est un pronom (*il* ou *ce*) qui, placé avant le verbe, ne joue pas d'autre rôle que celui de laisser prévoir le sujet réel :

Il *lui arrive une* ***aventure*** *extraordinaire.*
Il, sujet apparent de *arrive;* **aventure,** sujet réel de *arrive.*

Il *court des* ***bruits*** *fâcheux.*
Il, sujet apparent de *court;* **bruits,** sujet réel de *court.*

PLACE DU NOM SUJET

Ex. 6e *: p. 40.*
Ex. 5e *: p. 20.*
Ex. 4e*-*3e *: p. 23.*

43. Règle générale.

Le nom sujet est, en général, placé *avant le verbe :*
Le ***jardinier*** *gardait ses fleurs. Le* ***chat*** *dort près du feu.*

44. Sujet placé après le verbe : *construction obligatoire.*

Le nom sujet est placé après le verbe (inversion du sujet) :

a) Dans les **propositions interrogatives directes** (voir p. 66) qui commencent par le pronom interrogatif *que*, complément d'objet ou attribut, et par l'adjectif interrogatif *quel :*
Que veut ***ce malheureux?*** *Que devient* ***votre fils?*** *Quel est* ***votre avis?***

b) Dans les propositions **incises** ou **intercalées** (voir p. 133) :
Je ne pourrai, répondit ***Pierre,*** *venir demain à votre rendez-vous.*

c) Dans les propositions indiquant un **souhait** ou une **hypothèse,** ou commençant par les expressions *peu importe, qu'importe?*
Puisse votre ***père*** *guérir vite! Soit le* ***cercle*** *de centre O.*
Peu importe mon ***plaisir*** *personnel!*

d) Dans les propositions commençant par un **adjectif attribut :**
Tel est mon ***conseil.***
Il plut ce jour-là; grande fut ma ***déception.***

45. Sujet placé après le verbe : *construction facultative.*

Le nom sujet peut être placé après le verbe sans qu'il s'agisse d'une construction obligatoire :

a) Dans les propositions **relatives** commençant par un *relatif complément d'objet, attribut* ou *complément circonstanciel :*
Le crayon qu'a trouvé ***Paul,*** ou *Le crayon que* ***Paul*** *a trouvé.*
Le mal dont votre ***mère*** *souffre,* ou *Le mal dont souffre votre* ***mère.***

b) Dans les propositions **infinitives** (voir p. 139) :
J'ai entendu chanter le ***coq,*** ou *J'ai entendu le* ***coq*** *chanter.*

c) Dans les propositions **interrogatives indirectes** commençant par un mot interrogatif *quel, quand, comment,* etc.

Je me demande quel livre m'a prêté ***Jacques,*** ou *quel livre* ***Jacques*** *m'a prêté.*

d) Dans les propositions qui commencent par un **adverbe** ou un **complément circonstanciel de lieu** ou **de temps :**

Ici habitent mes ***parents,*** ou *Ici mes* ***parents*** *habitent.*

Le long d'un clair ruisseau ***buvait*** *une* ***colombe.***

e) Dans certaines **subordonnées conjonctives :**

Comme le croient les ***enfants,*** ou *Comme les* ***enfants*** *le croient.*

46. Sujet placé avant le verbe, mais repris par un pronom : *construction obligatoire.*

Le nom sujet est placé avant le verbe, mais repris par un pronom personnel après le verbe (ou entre l'auxiliaire et le verbe) :

a) Dans les propositions **interrogatives directes** (voir p. 66) qui ne commencent par *aucun mot interrogatif,* ou qui sont introduites par le pronom interrogatif *qui,* complément d'objet, ou par l'adverbe *pourquoi :*

La ***pluie*** *a-t-****elle*** *cessé de tomber ?* *Qui le* ***conseil*** *a-t-****il*** *élu maire ?*

Pourquoi votre ***frère*** *ne m'a-t-****il*** *rien dit ?*

b) Dans les propositions **interrogatives directes** qui contiennent un *complément d'objet direct* sur lequel ne porte pas la question posée :

Comment votre ***père*** *aurait-****il*** *appris la nouvelle ?*

La question ne porte pas sur *la nouvelle* (complément d'objet direct), mais sur la manière dont elle aurait été apprise *(comment ?).*

47. Sujet placé avant le verbe, mais repris par un pronom : *construction facultative.*

Le nom sujet peut être placé avant le verbe, mais repris par un pronom personnel placé après le verbe (ou entre l'auxiliaire et le verbe), sans que la construction soit obligatoire :

a) Dans les propositions commençant par les **adverbes** *du moins, au moins, ainsi, peut-être, aussi, à peine, sans doute :*

Du moins ***Paul*** *n'a-t-****il*** *rien vu,* ou *Du moins* ***Paul*** *n'a rien vu.*

b) Dans les propositions **interrogatives** qui commencent par les adverbes *où, quand, comment, combien,* ou par le pronom interrogatif *qui* ou *quoi* complément d'objet indirect ou circonstanciel, et dans les propositions **exclamatives** commençant par un *mot exclamatif* (mais, en ce cas, sans reprise par le pronom) :

Où cette ***route*** *mène-t-****elle*** *?* ou *Où mène cette* ***route*** *?*

A qui ***Louis XIV*** *a-t-****il*** *succédé ?* ou *A qui a succédé* ***Louis XIV*** *?*

Que d'efforts ce ***travail*** *a exigés !* ou *Que d'efforts a exigés ce* ***travail*** *!*

COMPLÉMENT DU NOM ET DE L'ADJECTIF

Ex. 6e : p. 46, 48, 72.
Ex. 5e : p. 22, 24, 40.
Ex. 4e-3e : p. 23.

48. Le complément du nom ou du pronom.

Un nom est *complément d'un autre nom* ou *d'un pronom* quand, placé après celui-ci, il le détermine, le précise et en limite la portée :

Le ***roi*** *des* ***animaux.***
Animaux est complément du nom **roi.**
C'est donc ***quelqu'un*** *de* ***Paris.***
Paris est complément du pronom **quelqu'un.**

Le complément du nom exprime, entre autres sens :

Le **possesseur** ou l'**auteur.**	*La maison de* ***Claudine;*** *une lettre de* ***Pierre.***
Le **sujet** de l'action.	*L'arrivée des* ***coureurs.***
L'**objet** de l'action.	*L'invention d'un* ***procédé.***
La **matière.**	*Le toit d'****ardoise;*** *une montre en* ***or.***
Le **but,** la **destination.**	*La table à* ***ouvrage;*** *des cartes de* ***visite.***
Le **lieu.**	*La bataille des* ***Ardennes;*** *le retour à* ***Paris.***
L'**origine.**	*Le jambon d'****York;*** *du sucre de* ***betterave.***
Le **contenu.**	*Le bidon de* ***lait;*** *un verre de* ***vin.***
Le **tout** dont le nom complété n'est qu'une partie.	*Les doigts de la* ***main.*** *Les voiles du* ***navire.***
La **qualité.**	*Le héron au long* ***bec.***
Le **moyen,** la **manière.**	*Un coup de* ***couteau;*** *des arbres en* ***quinconce.***
La **mesure,** le **prix.**	*Un fossé de trois* ***mètres;*** *un livre de* ***grand prix.***

Il est, en général, introduit par la préposition *de*, mais il peut l'être aussi par les prépositions *à, en, par, pour*, etc. :

L'obéissance ***à*** *la loi;* *un éclat* ***de*** *rire;*
le ronronnement ***du*** *chat;* *la lutte* ***pour*** *la vie.*

49. Le complément de l'adjectif et de l'adverbe.

Un nom est *complément d'un adjectif* ou *d'un adverbe* quand, placé auprès de cet adjectif ou de cet adverbe, il en précise le sens :

Ce vase ***plein*** *de* ***lait.***
Lait est complément de l'adjectif **plein.**

Conformément aux ***ordres,*** *il se retira.*
Ordres est complément de l'adverbe **conformément.**

Il peut être introduit par les prépositions *de, à, envers, en*, etc. :

Ce panier est plein ***de fleurs.***	**Fleurs,** compl. de l'adj. **plein.**
Ne soyons pas indulgents ***à nous-mêmes.***	**Nous-mêmes,** compl. de l'adj. **indulgents.**
Il est loyal ***envers ses amis.***	**Amis,** compl. de l'adj. **loyal.**
Il est fort ***en mathématiques.***	**Mathématiques,** compl. de l'adj. **fort.**

Un même mot peut être complément de plusieurs adjectifs coordonnés ou juxtaposés, à condition que ces divers adjectifs admettent tous la même construction :

Il est ***heureux*** *et* ***fier*** *de son* ***succès.***

Mais on dira :

Il est très ***sensible*** *à vos* ***compliments*** *et il en est* ***fier.***

L'adjectif au comparatif et au superlatif relatif (voir p. 42) est ordinairement suivi d'un complément :

On a souvent besoin d'un ***plus petit*** *que* ***soi.***
Soi est complément du comparatif **plus petit.**

L'absence est ***le plus grand*** *des* ***maux.***
Maux est complément du superlatif **le plus grand.**

50. L'apposition.

Un nom est *mis en apposition* quand il se joint (le plus souvent sans l'intermédiaire d'une préposition) à un nom ou à un pronom pour en indiquer la qualité, le définir ou le préciser. L'apposition désigne la même personne ou la même chose que le nom qu'elle complète et dont elle est séparée par une virgule :

Le ***lion, terreur*** *des forêts.*	**Terreur** est mis en apposition à **lion.**
Vous, *les* ***élèves*** *de cette classe.*	**Elèves,** apposition à **vous.**

Dans des expressions comme :

La ville de ***Paris,*** *le mois de* ***juin,*** *le titre de* ***marquis,***

les mots **Paris, juin, marquis** sont considérés comme des appositions de construction indirecte.

51. L'apostrophe.

Un nom est *mis en apostrophe* quand il désigne la personne (ou la chose personnifiée) que l'on interpelle :

Pierre, *viens à table !* **Pierre** est mis en apostrophe.

Sonnez, sonnez toujours, ***clairons*** *de la pensée !*
Clairons est mis en apostrophe.

LE NOM COMPLÉMENT D'OBJET

Ex. 6e : p. 50.
Ex. 5e : p. 26.
Ex. 4e-3e : p. 26 et 157.

52. Le complément d'objet.

Un nom est *complément d'objet* quand il indique la personne ou la chose sur qui se fait l'action exprimée par le verbe :

J'aime le ***son*** *du cor.*
Son est complément d'objet de **aime.**

Tu dois te souvenir de nos jeunes ***années.***
Années est complément d'objet de **te souvenir.**

On distingue :

1. Le **complément d'objet direct,** qui est construit sans préposition :

J'ai fermé la ***fenêtre.***
Fenêtre est complément d'objet direct de **ai fermé.**

2. Le **complément d'objet indirect,** qui est introduit par une préposition, en général *à* ou *de* :

Ils renoncèrent ***à*** *la* ***poursuite.***
Poursuite est complément d'objet indirect de **renoncèrent.**

Je n'ai jamais douté ***de*** *ses* ***capacités.***
Capacités est complément d'objet indirect de **ai douté.**

L'usage seul permet de connaître les verbes qui se construisent avec telle ou telle préposition : *obéir à, jouir de, échapper à, user de, nuire à,* etc.

53. Place du complément d'objet.

Le nom complément d'objet se place normalement après le verbe :

Il avait terminé ***la lecture*** *de ce livre*

Dans les phrases interrogatives ou exclamatives, le nom complément d'objet peut se trouver avant le verbe si la question, l'exclamation porte sur l'objet :

Quelle ***route*** *dois-je suivre?*
Route, complément d'objet direct de **suivre.**

Quel ***bruit*** *vous faites!*
Bruit, complément d'objet direct de **faites.**

Il peut être placé en tête de phrase afin d'être mis en valeur, mais, dans ce cas, il est rappelé par un pronom personnel :

Cette ***décision,*** *je* ***la*** *réprouve.*
Décision est complément d'objet direct de **réprouve,** comme **la,** qui le représente.

Ex. *6e* : p. 44.
Ex. *5e* : p. 28.
Ex. *4e-3e* : p. 26.

L'ATTRIBUT

54. L'attribut.

Un nom est attribut quand il indique la *qualité donnée* ou reconnue soit au sujet, soit au complément d'objet, par l'intermédiaire du verbe.

On distingue donc :

1. L'**attribut du sujet,** indroduit par un verbe d'état (*être, paraître,* etc.), certains verbes passifs ou certains verbes intransitifs :

Tout vous est ***aquilon,*** *tout me semble* ***zéphir.***
Aquilon et **zéphir** sont attributs de **tout.**

Il *a été élu* ***député.***
Député est attribut du sujet **il.**

Paul *restait un* ***enfant.***
Enfant est attribut du sujet **Paul.**

2. L'**attribut du complément d'objet,** introduit par un verbe comme *croire, estimer, faire, juger, penser, nommer, rendre, voir, choisir, élire, trouver,* etc. :

Je ***le*** *crois* ***honnête homme.***
Honnête homme est attribut de l'objet **le.**

Le roi ***l'a fait duc et pair.***
Duc et pair sont attributs de l'objet **l'.**

L'attribut du sujet ou de l'objet peut être introduit par une préposition *(pour, en, de)* ou par une conjonction *(comme)* :

On l'a pris ***pour*** *un* ***fou.***
Fou est attribut de l'objet **l'.**

Il me traite ***en ami.***
Ami est attribut de l'objet **me.**

Il est considéré ***comme*** *un honnête* ***homme.***
Homme est attribut du sujet **il.**

L'attribut placé *en tête de phrase* peut être repris par le pronom personnel **le** :

Ami *sincère, il* ***l'****avait toujours été pour eux.*

LES COMPLÉMENTS CIRCONSTANCIELS

Ex. 6e : p. 52, 54, 56, 58.
Ex. 5e : p. 30 et 32.
Ex. 4e-3e : p. 29.

55. Les compléments circonstanciels. Les compléments d'agent, d'attribution.

Un nom est *complément circonstanciel* quand il indique dans quelle condition ou dans quelle circonstance s'accomplit l'action marquée par le verbe. Les compléments circonstanciels répondent aux questions *où? quand? comment? pourquoi? combien?* etc., posées après le verbe :

Il vient cette semaine à ***Paris.***
Il vient **où?** *à Paris* : **Paris** est complément circonstanciel de **vient.**

Il marche avec **lenteur.**
Il marche **comment?** *avec lenteur* :
lenteur est complément circonstanciel de **marche.**

Le complément circonstanciel peut être introduit directement ou par l'intermédiaire d'une préposition :

Il est parti ***mardi.*** ***Depuis mardi,*** *je ne l'ai pas vu.*

On distingue : 1. **Les compléments circonstanciels :**

de lieu, de temps, de manière, de mesure, d'accompagnement, de privation, de cause, de but ou d'intérêt, de prix, de moyen, etc.

2. **Les compléments d'agent, d'attribution.**

Pour la commodité de l'exposé, les **compléments d'agent** et **d'attribution,** qui pourraient être distingués des compléments circonstanciels, sont étudiés ici auprès des compléments, de sens voisins, **de cause** et **d'intérêt.**

56. Le complément circonstanciel de lieu.

Il répond aux questions posées après le verbe : *où? d'où? par où?*

Il exprime *au sens propre* :

Le lieu où l'on **est.**	*Il réside* ***à Lyon.***
Le lieu où l'on **va.**	*Il se rend* ***à la campagne.***
Le lieu d'où l'on **vient.**	*Un rat sortit* ***de terre.***
Le lieu d'où l'on **s'écarte.**	*Il éloigna la lampe* ***du livre.***
Le lieu par où l'on **passe.**	*Il a sauté* ***par la fenêtre.***

Il peut être employé *au sens figuré* :

L'**origine** d'une personne. *Il est issu* ***de famille paysanne.***

Il peut être introduit par les prépositions :

à	*Il est arrivé* ***à Rome.***	**chez**	*Il se rend* ***chez son ami.***
	Il puise de l'eau ***à une source.***	**dans**	*Entrez* ***dans la chambre.***
de	*Il s'écarte* ***de la route.***	**sur**	*Mettez le livre* ***sur la table.***
	Il est né ***de parents modestes.***	**sous**	*Cherchez* ***sous le buffet.***
par	*Le train passe* ***par Modane.***	**pour**	*Il a pris le train* ***pour Dijon.***
vers	*Il marche* ***vers la voiture.***	**en**	*Restez* ***en classe.*** *Et cætera.*

Il peut être construit sans préposition :

Il demeure ***rue de Poitiers.*** *Il a couru* ***cent mètres.***

57. Le complément circonstanciel de temps.

Il répond aux questions *quand? combien de temps? depuis combien de temps?*

Il exprime :

La **date** de l'action.	*On rentre les blés* ***en août.***
Le **moment** de l'action.	*Il est sorti* ***à cinq heures.***
La **durée** de l'action.	*Il marcha trente* ***jours,*** *il marcha trente* ***nuits.***

Il peut être introduit par les prépositions :

à	***A l'aube,*** *la campagne s'anime.*	**vers**	*Le vent se leva* ***vers le soir.***
de	*Il est venu* ***de bonne heure.***	**sur**	*Il rentrera* ***sur les six heures.***
dans	*J'aurai terminé* ***dans un instant.***	**pour**	*Il est parti* ***pour deux jours.***
en	*La neige est tombée* ***en janvier.***	**durant**	*Je l'ai vu* ***durant mon voyage.***

Il peut être construit directement, **sans** préposition :

Il resta plusieurs ***mois*** *à l'étranger.*
Le chêne, un ***jour,*** *dit au roseau...*

58. Les compléments circonstanciels de manière, de point de vue, de comparaison.

Ils répondent aux questions *comment? de quelle façon? par rapport à qui ou à quoi? de quel point de vue?* etc. Ils expriment :

La **manière** dont se fait l'action.	*Il travaille* ***avec ardeur.***
Le **point de vue** envisagé.	*Il réussit mieux* ***en mathématiques.***
La **comparaison.**	*Il est grand* ***pour son âge.***

Ils peuvent être introduits par les prépositions :

à	*Elle allait* ***à grands pas.***	**avec**	*Il refusa* ***avec mépris.***
de	*Regarder* ***d'un air*** *distrait.*	**sans**	*Il le regarda* ***sans colère.***
		pour	*Il a bien réussi* ***pour son premier essai.***
en	*Examiner la lettre* ***en silence.***	**selon**	***Selon ses dires,*** *il est innocent.*

Ils peuvent être construits directement : *Il marchait* ***la tête haute.***

Ils peuvent être introduits par les conjonctions **comme** ou **que :**

Il se conduisait ***comme*** *un fou.* *Il est plus fier* ***que*** *son frère.*

Toutefois, dans ces deux derniers cas, on peut faire de *fou* et de *frère* les sujets des verbes sous-entendus : *il se conduisait comme un fou* ***se conduit;*** *il est plus orgueilleux que son frère* ***n'est,*** ou, mieux encore, faire de *frère* le complément du comparatif *plus fier.*

59. Le complément circonstanciel de prix ou de mesure.

Il répond aux questions *combien? à quel prix?*

Il exprime :

Le **prix.** *Il a payé ce terrain* ***une forte somme.***
La **mesure.** *La piste du stade mesure* ***quatre cents mètres.***
Le **poids.** *Ce pont est ouvert aux véhicules qui pèsent au maximum* ***trois tonnes.***

Il peut être introduit par les prépositions :

à *Le vin est* ***à un prix excessif.***
pour ***Pour cette somme,*** *je vous le donne.*
de *Le thermomètre est descendu* ***d'un degré.***

Il peut être construit directement :

Un tableau de maître se vend ***plusieurs millions.***

60. Le complément circonstanciel d'accompagnement ou de privation.

Il répond aux questions *accompagné de qui ou de quoi? sans être accompagné de qui ou de quoi?*

Il exprime :

L'**accompagnement.** *Il est parti en vacances* ***avec sa mère.***
La **privation.** *Il est venu* ***sans son frère.***

Il peut être introduit par les prépositions :

avec *Il se promène* ***avec son chien.*** *Il est parti* ***avec des amis.***
sans *Il voyage* ***sans sa femme.*** *Il vit seul,* ***sans domestique.***

61. Le complément circonstanciel de moyen.

Il répond aux questions posées après le verbe : *au moyen de qui ou de quoi ? en quoi ou avec quoi ? par quelle partie ?*

Il exprime :

L'**instrument**	*Il écrivit son nom* ***avec un crayon.***
La **matière**	*La cheminée est* ***en marbre.***
La **partie** du corps	*Je le pris* ***par le bras.***
La **partie** de l'objet	*Pierre me tira* ***par la manche.***

Il peut être introduit par les prépositions :

à	*Faites vos lignes* ***à la règle.***
avec	*Il découpa la gravure* ***avec des ciseaux.***
de	*Il le poussa* ***de l'épaule.***
par	*Il le saisit* ***par le cou.***
en	*La cloison est faite* ***en carreaux de plâtre.***

62. Le complément circonstanciel de cause.

Il répond aux questions posées après le verbe : *pourquoi ? pour quelle raison ? sous l'effet de quoi ?*

Il exprime :

La **cause** (sens propre)	*Il est mort* ***d'un cancer.***
Le **motif** (sens figuré)	*Il est entré* ***par erreur.***

Il peut être introduit par les prépositions :

de	*Il resta muet* ***de surprise.***
par	*Il renversa un verre* ***par inadvertance.***
pour	*Il fut puni* ***pour sa paresse.***

On peut joindre au complément de cause, le complément de concession introduit par la préposition ou la locution prépositive : *malgré, en dépit de,* qui indique la cause qui aurait pu s'opposer à l'action exprimée par le verbe.

Il sortit ***malgré*** *la pluie.*

63. Le complément d'agent.

Il répond aux questions *par qui* ou *par quoi ?* posées *après un verbe passif.*

Il exprime l'*agent* par qui une action est faite :

Il fut heurté ***par un passant.*** *Il fut blessé* ***par la chute*** *d'un arbre.*

Il peut être introduit par les prépositions :

de	*Il est aimé* ***de ses parents.*** *Il est compris* ***de tous.***
par	*Sa maison fut pillée* ***par des voleurs.***

64. Le complément circonstanciel de but ou d'intérêt.

Il répond aux questions posées après le verbe : *dans quelle intention? au profit de qui? contre qui ou contre quoi?*

Il exprime :

Le **but**	*Tout le monde se réunit* ***pour le cortège.***
L'**intérêt**	*Il travaille* ***pour ses enfants.***
L'**hostilité**	*Il n'a jamais rien fait* ***contre ses amis.***

Il peut être introduit par les prépositions :

à	*J'ai volé* ***à son secours.***
pour	*Prends un savon* ***pour ta toilette.***
dans	*Il travaille* ***dans l'espoir de réussir.***
contre	*Il a voté* ***contre cette loi.***

65. Le complément d'attribution.

Il répond à la question posée après le verbe : *à qui?*
Le complément d'attribution est le plus souvent un nom d'être *animé* ou de *chose personnifiée* et il se trouve après les verbes qui ont le sens de *donner, dire, ordonner, appartenir, pardonner, prêter, louer, vendre, proposer,* etc.

Il désigne l'être :

à qui l'**on donne**	*Il donne un livre* ***à son ami.***
à qui l'**on adresse la parole**	*Il racontait une histoire* ***à ses enfants.***
à qui l'**on donne un ordre**	*Il imposait son autorité* ***à sa famille.***
à qui **appartient** une chose	*Cette maison est* ***à mon oncle.***
à qui **appartient** un être	*Ce chien est* ***à moi.***

Il est introduit par la préposition **à** :

Il fit part de sa douleur ***à ses amis.***

66. Place des compléments circonstanciels.

Ils sont ordinairement placés après le verbe et, s'il y en a plusieurs, on termine en général par le plus long :

On devinait sa peur, ***en ce moment, sous l'impassibilité du visage.***

Toutefois, les compléments circonstanciels, en particulier ceux de lieu et de temps, peuvent se trouver avant le verbe :

Le mardi matin, à huit heures, *il prit le train de Lyon.*

L'ADJECTIF QUALIFICATIF

Ex. 6ᵉ : p. 64, 66, 68.
Ex. 5ᵉ : p. 36.
Ex. 4ᵉ-3ᵉ : p. 33.

67. L'adjectif qualificatif.

L'*adjectif qualificatif* est un mot *variable,* indiquant une *qualité* d'un être ou d'une chose (nom ou pronom). Il peut *varier* de forme selon son genre et selon son nombre :

Un ***gentil*** *garçon.* *De* ***petits*** *villages.* *Cela est* ***inutile.***

68. Formation du féminin.

En général, le féminin se forme en ajoutant un **e** au masculin.

Un ***grand*** *bureau, une* ***grande*** *échelle.*
Un ***hardi*** *marin, une manœuvre* ***hardie.***

Si le masculin est terminé par un **e,** l'adjectif **ne change pas** au féminin.

Un ***large*** *trottoir, une rue* ***large.***

Si le masculin est terminé par **-gu,** le féminin est **-guë** (avec tréma sur l'**e**).

Un cri ***aigu,*** *une pointe* ***aiguë.***

Si le masculin est terminé en **-eau, -ou,** le féminin est en **-elle, -olle.** Font exception : *flou, hindou,* dont les féminins sont *floue, hindoue.*

Un ***beau*** *jouet, une* ***belle*** *gravure.*
Un terrain ***mou,*** *une chair* ***molle.***

Si le masculin est terminé par **-el, -ul, -l** *mouillé,* le féminin est en **-elle, -ulle, -ille.**

Un ***cruel*** *ennemi, une farce* ***cruelle.***
Un devoir ***nul,*** *une note* ***nulle.***
Un ***pareil*** *espoir, une vie* ***pareille.***

Si le masculin est terminé par **-ien, -on,** le féminin est en **-ienne, -onne.**

Un château ***ancien,*** *une bague* ***ancienne.***
Un ***bon*** *numéro, une* ***bonne*** *affaire.*

Si le masculin est terminé par **-an,** le féminin est en **-ane.**

L'esprit ***partisan,*** *une querelle* ***partisane.***

Exception : *paysan,* dont le féminin est *paysanne.*

Le labeur ***paysan,*** *la vie* ***paysanne.***

Si le masculin est terminé en **-et,** le féminin est en **-ette;** mais les adjectifs en **-ot** ont le féminin en **-ote,** sauf *boulot, maigriot, pâlot, sot, vieillot,* qui doublent le **t.**

Un élève ***muet,*** *une douleur* ***muette.***
Un conte ***idiot,*** *une farce* ***idiote.***
Un ***sot*** *conseil, une* ***sotte*** *réponse.*

Les adjectifs *complet, désuet, discret, indiscret, incomplet, inquiet, replet, secret* ont le féminin en **-ète.**

Un regard ***inquiet,*** *l'âme* ***inquiète.***

Les masculins *bas, épais, gros, faux, roux, las, exprès, métis* ont le féminin en **-sse.**

Un bois ***épais,*** *une encre* ***épaisse.***
Un billet ***faux,*** *une pièce* ***fausse.***

Si le masculin est terminé en **-er,** le féminin est en **-ère.**

Le ***dernier*** *mot, la* ***dernière*** *page.*
Un ***léger*** *retard, une barque* ***légère.***

Si le masculin est terminé par **-eux, -oux, -eur,** le féminin est en **-euse, -ouse, -euse.**

Un garçon ***sérieux,*** *une idée* ***sérieuse.***
Un enfant ***jaloux,*** *une fille* ***jalouse.***
Un rire ***trompeur,*** *une réponse* ***trompeuse.***

Font exception : *antérieur, extérieur, inférieur, majeur, meilleur, mineur, postérieur, supérieur, ultérieur,* qui ont le féminin en **-e.**

Un ***meilleur*** *avis, une* ***meilleure*** *leçon.*

Si le masculin est en **-teur,** le féminin est généralement en **-trice.**

Un nom ***évocateur,*** *une phrase* ***évocatrice.***

Si le masculin est terminé par un **f,** le féminin est en **-ve.**

Un froid ***vif,*** *une* ***vive*** *repartie.*

69. Féminins irréguliers.

Certains adjectifs ont un féminin irrégulier :

blanc,	*blanche;*	favori,	*favorite;*	maître,	*maîtresse;*
franc,	*franche;*	coi,	*coite;*	traître,	*traîtresse;*
frais,	*fraîche;*	malin,	*maligne;*	vengeur,	*vengeresse;*
sec,	*sèche;*	bénin,	*bénigne;*	caduc,	*caduque;*
doux,	*douce;*	vieux,	*vieille;*	grec,	*grecque;*
tiers,	*tierce;*	hébreu,	*hébraïque;*	turc,	*turque;*
long,	*longue;*	pécheur,	*pécheresse;*	andalou,	*andalouse,* etc.

70. Formation du pluriel.

En général, le pluriel se forme en ajoutant un **s** au singulier.

*Un **grand** cahier, de **grands** espoirs. Une phrase **brève,** de **brèves** phrases.*

Si le singulier est terminé par un **s** ou par un **x,** l'adjectif ne change pas au pluriel.

*Un cheval **gris,** des chevaux **gris.** Un **faux** passeport, de **faux** papiers.*

Si le singulier est terminé par **-al,** le pluriel est en **-aux.**

*Un tigre **royal,** des tigres **royaux.***

Font exception : *banal, bancal, final, naval, natal, fatal, glacial, tonal,* qui ont le pluriel en **-als.** *Le mot **final,** les combats **finals.***

Les adjectifs masculins *beau, jumeau, nouveau, manceau, tourangeau, hébreu* ont leur pluriel terminé par un **x.**

*Un **beau** jouet, de **beaux** jouets.*

71. Place de l'adjectif qualificatif.

En principe, l'adjectif épithète peut se placer indifféremment *avant* ou *après* le nom auquel il se rapporte :

*Un **magnifique** point de vue; un point de vue **magnifique.***

Le sens ne change pas avec la place de *magnifique.*

Certains adjectifs *changent de sens* selon qu'ils précèdent ou suivent le nom :

*Un **brave** homme :* un homme généreux et simple.

*Un homme **brave** :* un homme courageux.

En fait, la place de l'adjectif épithète obéit à un usage compliqué qui dépend en particulier du rythme de la phrase et du désir d'expressivité.

D'une façon très générale, l'adjectif placé avant le nom présente la qualité comme appartenant en propre au nom et forme avec lui comme un seul mot; placé après le nom, il indique une qualité qui distingue le nom de tous les autres de la même catégorie :

*La **petite** maison. L'armée **française.***

On place souvent *avant le nom :*

a) un adjectif d'une syllabe qualifiant un nom de plusieurs syllabes :

*Un **long** trajet.*

b) un adjectif qui exprime une nuance affective :

*Le **malheureux** enfant.*

On place ordinairement *après le nom :*

a) un adjectif de plusieurs syllabes qualifiant un nom d'une syllabe :

*Un choix **difficile.***

b) les adjectifs qui expriment la forme ou la couleur :

*Un saladier **rond.** Une robe **rouge.***

c) les participes passés employés comme adjectifs :

*Des enfants **gâtés.***

d) les adjectifs suivis d'un complément :

*Un travail **long** à exécuter.*

ACCORDS PARTICULIERS DES ADJECTIFS

Ex. 6ᵉ : p. 76 et 96.
Ex. 5ᵉ : p. 38.
Ex. 4ᵉ-3ᵉ : p. 36.

72. Accord des adjectifs composés.

Si les adjectifs composés sont formés de **deux adjectifs, tous deux s'accordent** en genre et en nombre avec le nom auquel ils se rapportent.

Un enfant ***sourd-muet*** (sourd et muet), *des enfants* ***sourds-muets.***

Si les adjectifs composés sont formés d'**un adjectif** et d'**un adverbe** (ou d'**une préposition**), **l'adjectif s'accorde,** l'adverbe ou la préposition reste invariable.

Un enfant ***nouveau-né*** (nouvellement né), *des enfants* ***nouveau-nés.***
*L'****avant-dernière*** *page, les* ***avant-dernières*** *pages.*
Des pois ***extra-fins,*** *des mots* ***sous-entendus.***

Toutefois, on dit par exception : *des élèves nouveaux venus.*

Si les adjectifs composés sont formés d'**un adjectif** et d'**un radical d'adjectif** terminé en **-i** ou **-o, l'adjectif s'accorde** et le radical d'adjectif est invariable.

Une aventure ***tragi-comique,*** *des aventures* ***tragi-comiques.***
Une monnaie ***gallo-romaine,*** *des monnaies* ***gallo-romaines.***

73. Accord des adjectifs de couleur.

Les **adjectifs de couleur s'accordent** en genre et en nombre avec le nom auquel ils se rapportent.

Le tableau ***noir,*** *les chaussures* ***noires.***

Les **adjectifs de couleur composés,** c'est-à-dire formés de deux adjectifs ou d'un adjectif et d'un nom, restent **invariables.**

Une cravate ***bleu foncé.*** *Des gants* ***gris perle.***

Les **noms employés comme adjectifs** pour indiquer une couleur restent **invariables.**

Un ruban ***orange*** (de la couleur de l'orange), *des rubans* ***orange.***
Une chemise ***marron*** (de la couleur du marron), *des chemises* ***marron.***

Toutefois, *rose, écarlate, pourpre, mauve* et *fauve* s'accordent :

Une étoffe ***pourpre,*** *des étoffes* ***pourpres;*** *une soie* ***rose,*** *des soies* ***roses.***

74. Particularités de forme et d'accord.

Certains adjectifs ont une forme différente au masculin et au féminin (*hébreu, grec, frais*, etc. V. page 38).

Le peuple ***hébreu,*** *la langue* ***hébraïque.***
Un membre ***perclus,*** *une jambe* ***perclue*** ou ***percluse.***

Les adjectifs *fou, vieux, nouveau, beau, mou* font au masculin singulier, devant une voyelle ou un *h* muet : *fol, vieil, nouvel, bel, mol.*

Un ***mol*** *oreiller. Un* ***bel*** *homme. Un* ***bel*** *enfant.*

Certains adjectifs n'ont que le masculin :

nez ***aquilin,*** *pied* ***bot,*** *vinaigre* ***rosat.***

Certains adjectifs n'ont que le féminin :

fièvre ***scarlatine.***

L'adjectif *grand* reste **invariable** dans les **noms composés féminins.**

Grand-*route,* ***grand-****mère,* ***grand-****peine.*

Toutefois, la grammaire de l'Académie écrit *des grands-mères.*

L'adjectif *fort* reste **invariable** dans l'expression *se faire fort.*

Elle ***se fit fort*** *de lui faire reconnaître son erreur.*

Les adjectifs *excepté, passé, supposé, compris, ôté, étant donné, ci-joint, attendu, vu, approuvé, nu, demi, feu* restent **invariables** quand ils sont placés **devant le nom;** ils **s'accordent** quand ils sont placés **après.** (Voir p. 157, Tolérances grammaticales.)

Passé *huit heures; huit heures* ***passées.***
Une ***demi-****heure; une heure et* ***demie.***
Ci-joint *deux timbres; les deux timbres* ***ci-joints.***
Nu-*jambes; jambes* ***nues.***

L'adjectif qui suit la locution verbale ***avoir l'air*** *peut s'accorder* avec le mot *air* ou, mieux, avec le sujet de la locution verbale.

Elle a l'air ***doux*** ou *Elle a l'air* ***douce.***

Les **adjectifs** employés comme **adverbes** ou **prépositions** restent **invariables.**

Ces roses sentent ***bon.*** *La pluie tombe* ***dru.***
Haut *les mains. Des fleurs* ***plein*** *les vases.*

Toutefois, on dit par exception : *des fleurs fraîches écloses; des yeux grands ouverts; une porte grande ouverte.*

Pour l'accord de **tout,** voir page 73.

DEGRÉS DE SIGNIFICATION DE L'ADJECTIF

Ex. 6e : p. 72.
Ex. 5e : p. 40.
Ex. 4e-3e : p. 38.

75. Le positif.

L'adjectif qualificatif peut exprimer simplement une *qualité* d'une personne ou d'une chose. Il est au positif :

*Cette porte est **étroite.** Le courant est **rapide.***

76. Le comparatif.

Si la personne ou la chose possède cette qualité à un certain degré, *inférieur, égal* ou *supérieur* par rapport aux autres de la même espèce, on emploie le comparatif :

*Pierre est **plus prudent** que Paul.*
Comparatif de **supériorité** formé avec l'adverbe **plus.**

*Pierre est **aussi savant** que Paul.*
Comparatif d'**égalité** formé avec l'adverbe **aussi** (ou **si** en proposition négative).

*Pierre est **moins vif** que Paul.*
Comparatif d'**infériorité** formé avec l'adverbe **moins.**

77. Le superlatif relatif.

Si la personne ou la chose possède cette qualité à un *degré plus* ou *moins élevé* que toutes les autres du même genre, on emploie le superlatif relatif :

*Pierre est **le plus sage** des élèves. Jean est **le mieux** logé de nous.*
Superlatif relatif de **supériorité** formé avec l'adverbe **le plus, le mieux.**

*Pierre est **le moins sage** des élèves.*
Superlatif relatif d'**infériorité** formé avec l'adverbe **le moins.**

78. Le superlatif absolu.

Si l'on veut exprimer que la personne ou la chose possède cette qualité à un *degré très élevé*, on emploie le superlatif absolu :

*Pierre est **très sage, fort aimable.***
Superlatif absolu formé avec un adverbe comme **très, fort, bien,** etc.

*Une salle **archicomble;** une réputation **surfaite;** des petits pois **extra-fins.***
Superlatif absolu formé avec un préfixe : **archi-, sur-, extra-, ultra-, super-.**

*Un timbre **rarissime;** un homme **richissime.***
Superlatif absolu formé avec le suffixe **-issime.**

79. Comparatifs et superlatifs irréguliers.

Il est des comparatifs et des superlatifs dont la formation est *irrégulière*.

Positif :	**Comparatif :**	**Superlatif relatif :**
bon	***meilleur***	**le meilleur**
petit	***moindre, plus petit***	**le moindre, le plus petit**
mauvais	***pire, plus mauvais***	**le pire, le plus mauvais**

On doit ajouter que le français utilise des formes qui ont été en latin des comparatifs et qui ont le sens d'un adjectif ordinaire ou celui d'un superlatif *(supérieur, inférieur, intérieur, extérieur, ultérieur, antérieur, postérieur).*

Situation ***inférieure.*** *Chocolat* ***supérieur.***

80. Emploi de l'article devant le superlatif relatif.

a) L'article n'est pas exprimé devant le superlatif relatif quand celui-ci est précédé d'un adjectif possessif ou de la préposition **de :**

Mon ***plus beau*** *costume.* *Ce qu'il y a de* ***plus étonnant.***

b) Quand plusieurs superlatifs se rapportent à un même nom, on répète l'article devant chacun d'eux.

La nouvelle ***la plus étonnante, la plus incroyable.***

c) Dans les expressions *le plus, le moins, le mieux* (superlatifs d'adverbes), l'article peut rester invariable devant un adjectif au féminin ou au pluriel si l'on compare entre eux les différents degrés d'une même qualité chez un ou plusieurs êtres :

C'est le matin que la rose est ***le plus belle.***
C'est en été que les orages sont ***le plus fréquents.***

Mais si l'on compare un ou plusieurs êtres à tous ceux qui ont la même qualité, l'article est variable :

La rose est ***la plus belle*** *des fleurs.*
Les questions qui paraissent ***les plus simples.***

d) Si l'adjectif est employé comme *adverbe*, l'article reste invariable :
Ce sont ces fleurs qui coûtent ***le plus cher.***

FONCTIONS DE L'ADJECTIF QUALIFICATIF

Ex. 6e : p. 70. — *Ex. 5e* : p. 40. — *Ex. 4e-3e* : p. 40.

81. Fonctions de l'adjectif qualificatif.

L'adjectif qualificatif peut être *épithète, attribut* ou *apposition.*

82. Épithète.

L'adjectif qualificatif est **épithète** quand, placé à côté d'un nom dont il indique une qualité, il forme corps avec lui.

Une ***jeune*** *fermière.*
Jeune est épithète de **fermière**.

L'adjectif épithète peut être introduit, après certains pronoms, par la préposition **de :**

Il avait sur son visage quelque chose ***de grave.***
Grave, épithète de **quelque chose.**

83. Attribut du sujet.

L'adjectif qualificatif est **attribut du sujet** quand, relié au nom ou au pronom par un verbe, il exprime une qualité reconnue ou attribuée au sujet et qu'il ne fait donc pas corps avec ce sujet. On le rencontre avec *les verbes d'état, les verbes passifs* et *certains verbes intransitifs.*

Perrette était ***jeune.*** *Petit poisson deviendra* ***grand.*** *Il fut rendu* ***prudent*** *par son accident.*
Jeune, grand, prudent sont attributs des sujets **Perrette, poisson, il.**

84. Attribut de l'objet.

L'adjectif qualificatif est **attribut de l'objet** quand il représente une qualité que le sujet reconnaît ou attribue au complément d'objet. On le trouve avec les verbes *faire, rendre, juger, choisir, estimer, déclarer,* etc.

Je le crois ***sincère.*** *Il estime cet enfant* ***capable*** *de bien faire.*
Sincère est attribut de l'objet **le; capable,** attribut de l'objet **enfant.**

85. Attribut introduit par une préposition.

L'adjectif attribut du sujet ou de l'objet peut être introduit par les prépositions *en, pour, à, de,* et par la conjonction *comme.*

Pierre agit ***en ingrat.*** *Je le considère* ***comme fou.***
Ingrat est attribut du sujet **Pierre; fou,** attribut de l'objet **le.**

86. Apposition.

L'adjectif qualificatif est **apposition** quand, placé auprès d'un nom ou d'un pronom dont il indique une qualité, il en est séparé par une virgule.

Jeune, *elle marchait d'un pas alerte.*
Jeune est apposition du sujet **elle.**

ACCORD DE L'ADJECTIF QUALIFICATIF

Ex. 6e : p. 74. — Ex. 5e : p. 38. — Ex. 4e-3e : p. 40.

87. Accord de l'adjectif.

L'adjectif qualificatif, épithète, attribut ou apposition, s'accorde en genre et en nombre avec le nom ou les noms auxquels il se rapporte.
Si l'adjectif qualificatif, épithète, attribut ou apposition, se rapporte à un seul nom, il s'accorde en genre et en nombre avec ce nom.

*Un **grand** jardin; une **grande** ferme. De **grands** vases; de **grandes** fleurs.*
*Cette ferme est **grande;** ces vases sont **grands.***

Si l'adjectif qualificatif, épithète, attribut ou apposition, se rapporte à deux ou **plusieurs noms,** il s'accorde en genre et en nombre avec l'ensemble de ces noms. Quand ces derniers sont de **genre différent,** l'adjectif se met au **masculin pluriel.**

*Pierre et Jean sont **heureux.** L'Amérique et l'Asie sont à peu près **égales** en superficie. A l'équinoxe, le jour et la nuit sont **égaux.***

Si l'adjectif qualificatif, épithète, attribut ou apposition, se rapporte à deux noms singuliers coordonnés par la conjonction **ou,** il s'accorde tantôt avec le nom le plus rapproché, tantôt avec les deux.

*Une indifférence ou un parti pris **révoltant.***
*Une paresse ou une négligence **scandaleuses.***

Si l'adjectif épithète se rapporte à un **nom suivi de son complément,** il s'accorde en genre et en nombre avec le premier ou le second, pourvu qu'il convienne par le sens à l'un comme à l'autre.

*Un chandail de laine **bleu.** Un chandail de laine **bleue.***
Bleu se rapporte par le sens à *chandail* aussi bien qu'à *laine.*

Dans le cas contraire, il ne s'accorde qu'avec celui auquel il se rapporte par le sens.

*Un chandail de laine **déchiré.***
Déchiré ne se rapporte par le sens qu'à *chandail.*

Si deux ou plusieurs adjectifs épithètes se rapportent à un même nom singulier, exprimé une seule fois au pluriel, ces adjectifs restent au singulier.

*Les langues **anglaise** et **allemande.***
*Les codes **civil** et **pénal.***

Si l'adjectif épithète ou attribut se rapporte à l'expression *une espèce* ou *une sorte de,* il s'accorde avec le complément qui suit.

*Une sorte de **personnage** entra, **furieux,** avec de grands gestes.*
*Je vis une espèce de **mendiant assis** sur le seuil.*

L'ARTICLE

Ex. 6e : p. 78 et 80.
Ex. 5e : p. 42.
Ex. 4e-3e : p. 44.

88. Définition de l'article.

L'article est un petit mot variable qui accompagne le nom, en indique le genre et le nombre, et lui donne une détermination plus ou moins précise. On distingue :

L'article **défini.** ***Le** hangar de **la** maison borde **la** route.*
L'article **indéfini.** ***Une** ferme d'**une** province française.*
L'article **partitif.** *Prendrez-vous **du** café et **des** confitures?*

89. Les formes de l'article.

On distingue les formes *normales, élidées* et *contractées*. Les formes élidées s'emploient devant les mots singuliers commençant par une voyelle ou un *h* muet. Les formes contractées sont formées de la contraction des prépositions *de* et *à* et de l'article défini *le* ou *les*.

ARTICLE	SINGULIER		PLURIEL	
	Masculin.	Féminin.	Masculin.	Féminin.
Défini normal	***le** monde*	***la** terre*	***les** astres*	***les** planètes*
— élidé.	***l'**univers*	***l'**aurore*		
— contracté.	***au** monde* (à le)	***à la** ville*	***aux** hommes* (à les)	***aux** femmes* (à les)
	***du** monde* (de le)	***de la** ville*	***des** cieux* (de les)	***des** femmes* (de les)
Indéfini.	***un** monde*	***une** terre*	***des** mondes*	***des** terres*
Partitif.	*boire **du** thé*	*boire **de la** tisane*	*manger **des** épinards*	*manger **des** confitures*

Lorsque deux ou plusieurs noms sont *coordonnés*, l'article est répété devant chaque nom :

On apercevait ***les*** *toits et* ***les*** *cheminées des premières maisons.*

Sauf dans quelques expressions toutes faites :

Les *eaux et forêts.* ***Les*** *arts et manufactures.*

Sauf lorsque les deux noms sont coordonnés par *ou* explicatif :

Les *Mussipontains, ou habitants de Pont-à-Mousson.*

90. Emplois de l'article défini.

1. L'article défini détermine *de façon précise* le nom qu'il introduit :

Répétez ***la*** *phrase que vous venez de lire.*

La précise le nom *phrase* en indiquant qu'il s'agit de celle que vous venez de lire.

Il peut avoir aussi le sens :

D'un **adjectif démonstratif.**	*Venez* ***le*** *mardi 13 mars* (ce mardi). *A* ***l'****instant* (à cet instant).
D'un **adjectif possessif.**	*J'ai mal à* ***la*** tête (à *ma* tête).
D'un **adjectif indéfini.**	*Ruban à tant* ***le*** mètre (*chaque* mètre).

2. L'article défini n'est pas exprimé devant les noms propres de personne ou de ville, mais il l'est devant les noms de peuple et de pays :

Durand, Lyon, mais ***les*** *Parisiens,* ***le*** *Maroc.*

Toutefois, on emploie l'article devant les noms désignant :

Les **familles.**	***Les*** *Valois,* ***les*** *Bourbons.*
Les **œuvres** d'un artiste.	***Les*** *Manets,* ***les*** *Renoirs.*
Les **noms de personne** accompagnés d'un adjectif.	***L'****odieux Tartuffe.* ***Le*** *pauvre Pierre.*
Les **personnes méprisées.**	***La*** *Du Barry.* ***La*** *Brinvilliers.*
Les **personnes admirées.**	***Les*** *Corneille et* ***les*** *Racine.*
Les **artistes** (autrefois).	***La*** *Champmeslé.* ***La*** *Clairon.*

Les noms des pays féminins ne sont pas accompagnés de l'article quand ils sont précédés des prépositions *à, de, en :*

Il habite ***à*** *Chypre. Il revient* **de** *Tunisie. Ils vont* **en** *Chine.*

3. L'article défini peut être omis quand il s'agit de :

Noms en apposition.	*Paris, capitale de la France.*
Compléments de matière.	*Une statue de marbre.*
Locutions verbales.	*Il prit soin de lui.*
Locutions toutes faites.	*Il est nu-pieds. A vol d'oiseau.*
Proverbes.	*A bon chat, bon rat.*
Adresses.	*Il habite rue de Sèvres.*
Titres d'ouvrages.	*Histoire de France.*
Énumérations.	*Femmes, moine, vieillards, tout était descendu.*

91. L'article indéfini.

L'article indéfini introduit un nom en le présentant comme distinct des autres de la même espèce, mais *sans apporter plus de précision*. Au pluriel, il marque aussi un *nombre indéterminé* :

__Un__ homme est là qui vous attend. *Il y a __des__ cerises cette année.*

L'article indéfini peut avoir aussi le sens :

De l'adjectif indéfini **quelque.**	*On le crut pendant __un__ temps.*
De **mépris** ou d'**admiration.**	***Un** avare comme lui !*
	Il a parlé avec __une__ éloquence de maître.

L'article indéfini est omis devant :

Un **nom attribut** (parfois).	*Il devint ingénieur.*
Un nom construit avec une **préposition** (parfois).	*Il est parti en voiture. Par endroits.*
Les **phrases impersonnelles.**	*C'est dommage.*
Dans les **locutions verbales.**	*Faire grâce. Avoir recours.*

92. L'article partitif.

L'article partitif est employé devant les noms de choses pour indiquer une *quantité indéterminée* :

Il boit __du__ vin. *Il vend __de la__ soie.* *Il mange __des__ confitures.*

Le sens partitif est rare dans *des*, qui est généralement un indéfini (pluriel de *un*).

La préposition *de* est employée seule, au lieu de l'article partitif ou indéfini :

Après un **adverbe de quantité** (*trop, peu, beaucoup*, etc.).	*J'ai __peu de__ temps devant moi.* *J'ai __trop de__ travail.*
Sauf dans l'expression ***bien des...***	***Bien des** gens disent...*
Après un **verbe de forme négative.**	*Il ne boit pas __de__ lait.*
Devant un **nom pluriel précédé d'un adjectif.**	*Il nous a servi __de__ beaux fruits.*

L'article partitif n'est généralement pas exprimé après les prépositions *avec* ou *sans* :

Il travaille __avec__ peine. *Ils arrivent __sans__ difficulté.*

PRONOMS ET ADJECTIFS

PRONOMS PERSONNELS

Ex. 6ᵉ : p. 32, 38, 44, 52, 60.
Ex. 5ᵉ : p. 44 et 46.
Ex. 4ᵉ-3ᵉ : p. 47.

On distingue :

les pronoms personnels.
les pronoms et adjectifs : possessifs, démonstratifs, relatifs, interrogatifs et indéfinis.
les adjectifs numéraux.

93. Rôle des pronoms personnels.

Le pronom personnel désigne celui, celle, ceux ou celles *qui parlent* (1ʳᵉ personne), *à qui l'on parle* (2ᵉ personne); celui, celle, ceux, celles ou ce *dont on parle* (3ᵉ personne) :

Je *reçois.*	***Vous*** *recevez.*	***Il*** *reçoit.*
(1ʳᵉ pers. du singulier.)	(2ᵉ pers. du pluriel.)	(3ᵉ pers. du singulier.)

La 3ᵉ personne peut remplacer un nom déjà exprimé :
Le ***voyageur*** *ouvrit son portefeuille,* ***il*** *chercha quelques instants et tendit son ticket.*
(Il représente *voyageur.)*

94. Le genre des pronoms personnels.

Les pronoms personnels peuvent être du masculin ou du féminin, comme les noms qu'ils représentent; mais seule la 3ᵉ personne a des formes différentes au masculin et au féminin :

Il *répond.* ***Je*** *suis surpris.* (Masculin.) ***Elle*** *répond.* ***Je*** *suis surprise.* (Féminin.)

Le pronom de la 3ᵉ personne peut être aussi indéterminé *(neutre)* quand il remplace un adjectif ou toute une proposition :

Êtes-vous courageux ? Je ***le*** *suis.*	***Il*** *est nécessaire que vous partiez.*
(**Le** représente *courageux;* **le** est neutre.)	(***Il*** remplace *que vous partiez;* ***il*** est neutre.)

95. Les formes du pronom personnel.

Les formes du pronom personnel, variables en genre et en nombre, peuvent être inaccentuées (ou *atones*) quand elles représentent simplement la personne et qu'elles font corps avec le verbe : ***Je** ne discuterai pas.* (*Je*, inaccentué.)

Les pronoms personnels sont accentués (ou *toniques*) quand ils servent à mettre *en évidence* la personne : ***Moi, je** ne discuterai pas.* (*Moi*, accentué.)

PERSONNE	SINGULIER		PLURIEL	
	Atones ou inaccentués.	Toniques ou accentués.	Atones ou inaccentués.	Toniques ou accentués.
1re personne.	je, me	moi	nous	nous
2e personne.	tu, te	toi	vous	vous
3e personne. (**réfléchi,** v. no 99).	il, elle le, la, lui, en, y se	lui, elle soi	ils, elles les, leur, en, y se	eux, elles

1. Le pronom personnel peut présenter des formes élidées : *l', m', t', j'* pour *le, la, me, te, je,* devant la voyelle ou l'*h* muet du mot suivant :
*Tu **t'**ennuies. Il **m'**appelle. **J'**habite Paris.*

2. Le pronom personnel accentué peut être renforcé par *même* :
***Toi-même,** tu t'y refuserais.*

96. Fonctions des pronoms personnels.

FONCTIONS	INACCENTUÉS :	ACCENTUÉS :
Sujet :	***Je** comprends son émotion.* ***Tu** ne m'as rien dit.* ***Il** n'a pas entendu.* ***Elle** n'est pas venue.* ***Ils** sont partis.*	**Moi,** *j'*agirai autrement. **Toi,** *tu* as oublié. **Lui,** *il* n'en a rien su. **Elle,** *elle* ne m'a pas vu. **Eux,** *ils* ne t'ont pas cru.
Attribut :		C'est **moi** qui lui ai parlé. C'est **lui** qui est venu.
Complément d'objet direct :	*Je **t'**estime beaucoup.* *Je **le** crois sur parole.* *Il **vous** appelait.*	Il *m'*a invité, **moi.** Je *le* crois, **lui.** Félicitez-**vous.**
Complément d'objet indirect :	*Il **lui** en a beaucoup voulu.*	A **lui,** tu as *toujours obéi.*
Complément circonstanciel :	*Il n'**en** dort plus.*	Je suis arrivé après **eux.**

97. Les pronoms neutres *il* et *le*.

1. Le pronom neutre *il* introduit un verbe impersonnel ou annonce le sujet réel d'un verbe dont il est le sujet apparent :

***Il** pleut.*	***Il** vous arrivera **malheur.***
Verbe impersonnel.	*Il*, sujet apparent; *malheur*, sujet réel.

2. Le pronom neutre *le* (au sens de *cela*) renvoie à un adjectif ou à une proposition qui précède :

*Elle est plus intelligente que tu ne **le** penses.*
(Que tu ne penses *qu'elle est intelligente.*)

98. Emplois particuliers de *nous* et *vous*.

1. *Nous* s'emploie pour *je* (*nous* de majesté) dans le style officiel, afin de donner plus d'autorité à ce qui est dit :

***Nous,** préfet de police, ordonnons qu'à dater...*

Nous s'emploie à la place de *tu* (*nous* de sympathie) pour indiquer l'affection ou l'intérêt que l'on porte à la personne :

*Avons-**nous** bien dormi, mon garçon?*

2. *Vous* s'emploie au lieu de *tu* pour marquer la déférence (*vous* de politesse). *Tu* indique la familiarité (pour l'accord, voir n° 198, 3) :

***Vous** disiez, Monsieur?*	***Tu** m'ennuies !*
(*Vous* de politesse.)	(*Tu* de familiarité.)

99. Le pronom personnel réfléchi.

Le pronom personnel existe à la forme réfléchie; il s'emploie uniquement comme complément et il représente le sujet qui fait l'action sur lui-même :

*Je **me** lave.* *Elle **se** lave.* *Nous **nous** lavons.* *Elles **se** lavent.*

Il n'a de formes particulières qu'à la 3e personne (*se, soi*); aux autres personnes, il a la forme du pronom complément :

*Il **se** lave.* *Elle **se** lave.* *Tu **te** laves.* *Vous **vous** lavez.*

Le pronom réfléchi *soi* s'emploie surtout pour renvoyer à un sujet indéterminé (*personne, chacun, on, celui, qui, plus d'un*, etc.) :

*Chacun pense à **soi,** avant de penser aux autres.*

100. Le pronom personnel *en*.

En, pronom personnel invariable, équivaut à *de lui, d'elle, d'eux, de cela* (neutre), et peut avoir les fonctions suivantes :

Complément de nom :

La vivacité de son esprit est grande; elle nous ***en*** *cache parfois la profondeur.*
En, compl. du nom **profondeur** (la profondeur de son esprit).

Complément de l'adjectif :

*J'ai réussi et j'****en*** *suis fier.*
En, complément de l'adjectif **fier** (fier de cette réussite).

Complément d'objet direct :

*Avez-vous envoyé des lettres? Je n'****en*** *ai point reçu.*
En, complément d'objet direct de **ai reçu** (je n'ai point reçu de lettres).

Complément d'objet indirect :

*Vous m'avez rendu service et je m'****en*** *souviendrai.*
En, compl. d'obj. indir. de **souviendrai** (je me souviendrai de cela).

Complément circonstanciel de cause :

Il a eu la grippe; il ***en*** *est resté très affaibli.*
En, compl. circ. de cause de **affaibli** (affaibli de cette grippe).

Complément circonstanciel de moyen :

*Il prit une pierre et l'****en*** *frappa.*
En, compl. circ. de moyen de **frappa** (il le frappa de cette pierre).

Le pronom **en** est surtout employé pour remplacer les noms de choses. Pour désigner des êtres animés, on emploie de préférence le pronom personnel : **lui, elle, eux, elles,** etc. :

L'avez-vous connu? Il est facile de se souvenir **de lui.**
*Avez-vous lu son livre? Il est facile de s'****en*** *souvenir.*

En peut être *adverbe de lieu* (au sens de *de là*) ou *préposition* (au sens de *dans*) :

*Avez-vous été chez lui? J'****en*** *viens.* — *En,* adverbe de lieu.
Je vais ***en*** *ville.* — *En,* préposition.

101. Le pronom personnel y.

Le pronom personnel invariable *y* a le sens de : *à cette personne*-là, *à cette chose*-là, *à cela* (neutre). Il renvoie le plus souvent à une idée ou à une chose et peut avoir les fonctions suivantes :

Complément d'objet indirect de personne :

*L'avez-vous pris comme associé? Pour moi, je ne m'****y*** *fierai pas.*
Y, compl. d'obj. indir. de **fierai** (je ne me fierai pas à lui).

Complément d'objet indirect de chose :

*Penses-tu à ce que je t'ai dit? — J'****y*** *pense.*
Y, compl. d'obj. indir. de **pense** (je pense à cela).

Y peut être aussi un adverbe de lieu (au sens de *là*) :

*Connaissez-vous l'Auvergne? J'****y*** *suis allé cet été.*

Ex. 6e : p. 34.
Ex. 5e : p. 44 et 46.
Ex. 4e-3e : p. 47 et 157

PLACE DU PRONOM PERSONNEL

102. Place du pronom personnel sujet.

1. Le pronom personnel sujet est en général *placé immédiatement avant le verbe,* dont il ne peut être séparé que par les pronoms compléments (ou la première partie de la négation) :

__Je__ le __connais__ de longue date. *__Je__ n'y __suis__ point allé.*

2. Le pronom personnel sujet accentué *peut être placé après le verbe :*

Je saurai lui répondre, ***moi.*** *(Moi,* sujet de *saurai,* comme *je.)*

3. Le pronom personnel sujet non accentué est placé *après le verbe* ou *entre l'auxiliaire* et *le participe* aux temps composés :

Dans les phrases **interrogatives** ou **exclamatives.**
Que lui avez-__vous__ dit ? *Puisse-t-__il__ guérir vite !*

Dans les **propositions incises** (ou intercalées).
Ce n'est pas ta faute, dis-__tu.__

Dans les propositions commençant par **du moins, peut-être, au moins, en vain, aussi, à peine, ainsi,** etc.
Peut-être trouverez-__vous__ un appui. *A peine avait-__il__ terminé que je partis.*

103. Place du pronom personnel complément.

1. Le pronom personnel complément non accentué (ou atone) est placé *avant le verbe, sauf* à l'impératif :

Il __le__ considéra longuement. *Je ne __l'__ai pas vu.* *Prenez-__le.__*

2. Le pronom personnel complément accentué (ou tonique) est placé *après le verbe :*

Il me plaît, à __moi,__ d'agir ainsi. *Envoyez-__moi__ le paquet par la poste.*

3. Quand plusieurs pronoms sont compléments d'un même verbe, le complément *indirect est placé le plus près* du verbe :

Nous le __lui__ avons répété cent fois.
Cependant, avec l'impératif on dira : *Donnez-le-__lui.__*

104. Répétition du pronom personnel.

1. Le pronom personnel sujet est normalement *répété* devant chaque verbe :

__Il__ écouta en silence, puis __il__ réfléchit quelques instants.

Cette répétition *n'est pas obligatoire* lorsque les verbes sont juxtaposés ou coordonnés par les conjonctions et, *ou*, *mais* :

__Il__ agissait sans réflexion __et__ s'étonnait de ses mésaventures.

Cette répétition *ne peut se faire* quand les verbes sont liés par la conjonction *ni* :

__Il__ ne le saluait __ni__ ne lui parlait jamais.

2. Le pronom complément est en général *répété* devant chaque verbe :

Il __me__ comprend et __m'__approuve.

Il est toujours répété si les deux pronoms n'ont pas *même fonction* :

Il __me__ voit et __me__ tend la main.

Le pronom personnel complément *n'est pas répété* aux temps composés des verbes quand l'auxiliaire lui-même n'est pas répété, mais à condition que ce pronom complément ait *même fonction* :

Il __m'a__ compris et approuvé.

M', complément d'objet direct de *a compris* et de *a approuvé*.

Il __m'a__ vu et __m'a__ tendu la main.

M', complément d'objet direct de *a vu* et compl. d'attribution de *a tendu*.

105. Reprise d'un nom par un pronom personnel.

1. Le nom complément peut être mis *en relief* en tête de phrase. Dans ce cas, il est *repris* près du verbe par un pronom complément :

***Pierre,** nous **l'**aimons beaucoup.*

2. Le nom sujet peut être placé *après le verbe*. Dans ce cas, il est *annoncé* par un pronom avant le verbe :

__Il__ vous arrivera __malheur.__

Il annonce *malheur; il*, sujet apparent; *malheur*, sujet réel de *arrivera*.

106. Le pronom personnel explétif.

1. Le pronom complément peut s'employer *sans avoir de valeur grammaticale*, pour souligner l'intérêt que l'on prend à la personne ou à l'action :

On __vous__ le fit tournoyer en l'air et maintes fois retomber sur le drap tendu.

2. Le pronom personnel figure, *sans valeur grammaticale*, dans diverses locutions :

Il s'__en__ est pris à moi. Enfin vous __l'__emportez !

ADJECTIFS ET PRONOMS POSSESSIFS

Ex. 6e : p. 82 et 84. — *Ex. 5e* : p. 48. — *Ex. 4e-3e* : p. 52.

107. Adjectifs possessifs.

Les adjectifs possessifs indiquent qu'un être ou un objet appartiennent à quelqu'un ou à quelque chose. Leur fonction est donc de se rapporter à l'être ou à l'objet possédé, avec lequel ils s'accordent :

*Il a vendu **sa** maison.*
La maison qui **lui** appartenait. **Sa,** féminin comme **maison.**

***Ma** faute était grave.*
La faute que **j'**avais commise. **Ma,** féminin comme **faute.**

108. Les formes de l'adjectif possessif.

Les formes de l'adjectif possessif varient avec le genre et le nombre de l'objet possédé et avec la personne du possesseur :

*J'apporte **mon** livre.* (Ire pers.) ***Ils** apportent **leurs** livres.* (3e pers.).

PERSONNE ET GENRE	UN POSSESSEUR		PLUSIEURS POSSESSEURS	
	Un objet.	*Plusieurs objets.*	*Un objet.*	*Plusieurs objets.*
Ire pers. *masc.*	**mon** livre	**mes** livres	**notre** livre	**nos** livres
— *fém.*	**ma** règle	**mes** règles	**notre** règle	**nos** règles
2e pers. *masc.*	**ton** livre	**tes** livres	**votre** livre	**vos** livres
— *fém.*	**ta** règle	**tes** règles	**votre** règle	**vos** règles
3e pers. *masc.*	**son** livre	**ses** livres	**leur** livre	**leurs** livres
— *fém.*	**sa** règle	**ses** règles	**leur** règle	**leurs** règles

Devant les noms féminins commençant par une voyelle ou un *h* muet, on emploie les adjectifs *mon, ton, son,* au lieu de *ma, ta, sa :*

***Sa** grande fille me renseigna.* ***Son** aimable fille me renseigna.*

109. Les sens de l'adjectif possessif.

L'adjectif possessif peut signifier :

La possession.	***Mes** cahiers sont sur **mon** bureau.*
L'origine.	***Mon** pays est là-bas près de la mer.*
Le sujet de l'action.	***Sa** faute est de ne pas avouer.*
L'objet de l'action.	*A **ma** vue il se tait* (en me voyant).
La répétition, l'habitude.	*Il a raté **son** train. Prenez-vous **votre** café ?*
L'affection, l'intérêt.	***Notre** Jean-Claude est tout heureux.*
Le mépris, l'ironie.	*Cela sent **son** homme malhonnête.*

110. Particularités de l'adjectif possessif.

1. L'adjectif possessif est remplacé par l'*article défini* quand il s'agit de noms des parties du corps ou de vêtement et que le possesseur est *clairement désigné* :

Il a levé **le** *bras.* *Il a mal à* **la** tête. *Il le saisit par* **la** *ceinture.*

2. Quand le possesseur est le pronom indéfini *on*, l'adjectif possessif est régulièrement *son, sa, ses.* Lorsque *on* signifie *nous* ou *vous*, l'adjectif possessif est *notre, votre, nos, vos* (style familier). :

On *a le droit d'avoir* **son** *opinion.* **On** *ne voit plus nos amis.*

3. Quand le possesseur est le pronom indéfini *chacun*, l'adjectif possessif est régulièrement *son, sa, ses*, mais il peut être *leur* ou *leurs* quand *chacun* est précédé d'un nom pluriel :

Chacun tenait **son** *livre ouvert.* *Les élèves ont chacun* **son,** *ou* **leur** *crayon.*

4. L'adjectif possessif peut être remplacé par le pronom personnel *en* quand le possesseur est un nom de chose et qu'il ne se trouve pas dans la même proposition que l'objet possédé :

La **maison** *était fermée; mais le gardien m'***en** *avait donné les clefs* (il m'avait donné les **clefs** de la **maison**).

111. Les pronoms possessifs.

Les pronoms possessifs représentent un nom, mais ajoutent une *idée de possession*, de référence à un être ou à une chose.

Mon **devoir** *d'algèbre est plus difficile que* **le tien. (Le tien,** ton **devoir.)**

112. Les formes des pronoms possessifs.

PERSONNE ET GENRE	UN POSSESSEUR		PLUSIEURS POSSESSEURS	
	Un objet.	*Plusieurs objets.*	*Un objet.*	*Plusieurs objets.*
1re **pers.** *masc.*	le mien	les miens	le nôtre	les nôtres
— *fém.*	la mienne	les miennes	la nôtre	les nôtres
2e **pers.** *masc.*	le tien	les tiens	le vôtre	les vôtres
— *fém.*	la tienne	les tiennes	la vôtre	les vôtres
3e **pers.** *masc.*	le sien	les siens	le leur	les leurs
— *fém.*	la sienne	les siennes	la leur	les leurs

1. Il existe des formes *mien, tien, sien, nôtre, vôtre* du pronom possessif employées seulement comme attributs :

Cette opinion est **mienne.**
(Mienne est attribut du sujet **opinion.)**

Considérez cet argent comme **vôtre.**
(Vôtre est attribut de l'objet **argent.)**

2. Les pronoms possessifs ont les *fonctions du nom* :

Je ne vois pas ta **brosse à dents;** *je n'aperçois que* **la mienne.**
La mienne est complément d'objet direct de **aperçois.**

ADJECTIFS ET PRONOMS DÉMONSTRATIFS

Ex. 6e : p. 86 et 88. — *Ex.* 5e : p. 50. — *Ex.* 4e-3e : p. 52.

113. Adjectifs démonstratifs.

Les adjectifs démonstratifs servent à montrer les êtres ou les objets. Ils s'accordent en genre et en nombre avec le nom auquel ils se rapportent et qu'ils déterminent :

La foudre a frappé **ce** *grand chêne.* **Cette** *pendule retarde.*

114. Formes des adjectifs démonstratifs.

Les adjectifs démonstratifs sont de forme simple ou de forme renforcée.
Les **formes simples** sont :

Singulier : Masculin : **Ce** *mur,* **ce** *hérisson* (devant les consonnes et *h* aspiré).
Cet *arbre,* **cet** *homme* (devant les voyelles et *h* muet).
Féminin : **Cette** *ardeur,* **cette** *honte,* **cette** *histoire.*

Pluriel : Masculin : **Ces** *murs,* **ces** *héros.*
Féminin : **Ces** *tables,* **ces** *huîtres.*

Les **formes renforcées** sont faites avec les adverbes de lieu **ci** et **là** placés après le nom auquel ils sont liés par un trait d'union. **Ci** marque la proximité.

Cette *voiture-***ci.** **Ce** *lieu-***ci.** **Cet** *arbre-***ci.**

Là marque l'éloignement.

Cet *arbre-***là.** **Ce** *livre-***là.**

Employés ensemble, ils peuvent indiquer la distinction entre deux objets :

Je prendrai **ce** *bracelet-***ci** *et* **cette** *montre-***là.**

115. Emplois particuliers des adjectifs démonstratifs.

Les adjectifs démonstratifs indiquent aussi :

La **personne** ou la **chose** dont on va parler ou dont on vient de parler.
Il n'avait guère le temps, disait-il; **cette** *réponse ne satisfit personne.*

Le **temps** où l'on vit ou les circonstances présentes.
Cette *année, l'hiver a été rude.* *J'ai été malade* **ce** *mois-***ci.**

Le **mépris** (péjoratif).
Que me veut **cet** *individu ?*

L'**admiration.**
Mon père, **ce** *héros au sourire si doux...*

L'**étonnement** ou l'**indignation.**
Partir sans même remercier; **cette** *impudence !*

116. Pronoms démonstratifs.

Les pronoms démonstratifs désignent des êtres ou des choses en les montrant. Ils sont du masculin ou du féminin :

Je voudrais changer d'appartement; ***celui-ci*** *est trop petit.*

Les pronoms démonstratifs *neutres* désignent une chose, une idée, une qualité. Ils peuvent représenter une proposition ou un adjectif :

Je partirai la semaine prochaine pour Paris; ***cela*** *est décidé depuis longtemps.*

117. Formes des pronoms démonstratifs.

Les pronoms démonstratifs sont de forme simple ou renforcée par les adverbes *-ci* et *-là*, comme les adjectifs démonstratifs. La forme élidée **c'** s'emploie surtout devant les formes du verbe *être* commençant par une voyelle.

NOMBRE	MASCULIN	FÉMININ	NEUTRE
Singulier simple. *Singulier renforcé.*	celui celui-ci, celui-là	celle celle-ci, celle-là	ce, (c') ceci, cela, ça
Pluriel simple. *Pluriel renforcé.*	ceux ceux-ci, ceux-là	celles celles-ci, celles-là	

Comme pour les adjectifs, les formes renforcées servent à indiquer la proximité *(ci)* ou l'éloignement *(là)*, ou à distinguer deux objets ou deux personnes:

Choisissez une cravate; ***celle-ci*** *est fort jolie;* ***celle-là*** *est plus simple.*

La forme **ça** appartient à la langue familière.

118. Emplois particuliers.

1. Les formes simples *celui, celle, ceux* et *celles* ne peuvent être employées seules et doivent être accompagnées d'un nom complément ou d'un pronom relatif :

Il a dissipé tout son argent et ***celui de ses parents.***

Il a remercié ***ceux qui*** *lui avaient rendu service.*

2. Les formes renforcées et le pronom neutre *ce* peuvent s'employer seuls, sans complément ou relatif :

C'*est un bon roman, mais je préfère* ***celui-là.***

Ce *serait un scandale.* *Sur* ***ce,*** *je vous quitte.*

3. Le pronom neutre *ce* s'emploie comme antécédent du relatif :

Ce que *vous venez de dire m'intéresse beaucoup.*

On ne confondra pas *ce* antécédent du relatif avec *ce que* introduisant une interrogative indirecte :

Dis-moi ***ce que*** *tu veux* (voir pp. 65 et 66).

4. Le pronom neutre *ce* forme avec le verbe *être* une locution démonstrative dans laquelle le verbe peut s'accorder en nombre avec le sujet réel.

Ce **sont** ou **c'est** *des balivernes.* **Ce sont** *eux* ou **c'est** *eux.*

L'accord au pluriel est plus fréquent dans la langue écrite ou dans la langue parlée surveillée que dans la langue familière.

Il faut distinguer *ce* sujet apparent de *ce* sujet réel :

C'est bien la **route. C',** sujet réel; **route,** attribut du sujet **c'.**

*C'est un plaisir de l'***entendre. C',** sujet apparent; **entendre,** sujet réel.

La locution **c'est** suivie d'une des formes du pronom relatif ou de la conjonction **que** sert à former les gallicismes **c'est... qui, c'est... que,** qui permettent de mettre en relief en tête de phrase un mot ou un groupe de mots :

C'est *Pierre* **qui** *a gagné.* **C'est** (ou **ce sont**) *eux* **qui** *se trompent.*

C'est *sérieusement* **que** *je vous le propose.*

C'est *parce que j'étais dans mon tort* **que** *je n'ai rien répondu.*

119. Fonctions du pronom démonstratif.

Le pronom démonstratif a toutes les fonctions du nom :

Sujet :

Celui *qui donnera un renseignement sur le disparu sera récompensé.*

Celui, sujet de **sera récompensé.**

Attribut :

Ses sentiments n'étaient point **ceux** *d'un ingrat.*

Ceux, attribut de **sentiments.**

Complément d'objet direct :

Il regarda longuement **celui** *qui s'avançait.*

Celui, complément d'objet direct de **regarda.**

Complément d'objet indirect et complément d'attribution :

Je laisse ce soin à **ceux** *qui suivront.*

Ceux, complément d'attribution de **laisse.**

Complément circonstanciel et complément d'agent :

J'ai été retenu par **celui** *dont je t'avais parlé.*

Celui, complément d'agent de **ai été retenu.**

Complément du nom :

J'ignore la cause de tout **ceci.**

Ceci, complément du nom **cause.**

Complément de l'adjectif :

Ce malheur est-il comparable à **celui** *qu'a provoqué l'inondation?*

Celui, complément de l'adjectif **comparable.**

PRONOMS ET ADJECTIFS RELATIFS

Ex. 6e : p. 36, 38, 62.
Ex. 5e : p. 52.
Ex. 4e-3e : p. 57.

120. Pronoms relatifs.

Le pronom relatif remplace un nom ou un pronom, nommé *antécédent,* exprimé dans la proposition qui précède. Il établit ainsi une *relation* entre cette proposition et la seconde, dite *relative,* qui *complète* ou *explique cet antécédent :*

Il régnait un silence **dont** *chacun finissait par s'inquiéter.*

Dont, pronom relatif, remplace **silence :** chacun finissait par s'inquiéter de *ce silence.* La proposition relative qui commence par *dont* complète le nom *silence. Silence* est l'*antécédent de dont.*

L'antécédent peut ne pas être exprimé (dans les proverbes, en particulier); le pronom relatif a alors un sens indéfini :

Qui *dort dîne.*

Le sujet de *dîne* serait **celui,** antécédent de *qui*, dans : ***Celui qui*** *dort dîne.*

121. Formes des pronoms relatifs.

Le pronom relatif a le genre et le nombre de son antécédent. Cet antécédent peut être un nom (masculin ou féminin) ou un pronom (masculin, féminin ou neutre) :

Les abricots **que** *tu as cueillis ne sont pas mûrs.*

Que, pronom relatif, est du masculin pluriel comme *abricots,* son antécédent, d'où l'accord de *cueillis.*

As-tu vu l'importance de ce à **quoi** *tu t'engages?*

Quoi, pronom relatif, est du neutre singulier comme son antécédent, le pronom démonstratif neutre *ce.*

Formes simples : *masculin :* qui, que, dont, où.
féminin : qui, que, dont, où.
neutre : qui, que, dont, où, quoi.

Formes composées : *masculin :* lequel, lesquels, duquel, desquels, auquel, auxquels.
féminin : laquelle, lesquelles, de laquelle, desquelles, à laquelle, auxquelles.

Que s'élide en **qu'** devant une voyelle et un **h** muet.

122. Fonctions des pronoms relatifs.

Le pronom relatif a toutes les fonctions d'un nom dans la proposition relative qu'il introduit :

Il s'avançait sur la mince couche de glace ***qui*** *s'était formée sur l'étang.*

Qui a pour antécédent *couche* (de glace), et il est sujet de *s'était formée.*

123. Emplois des divers pronoms relatifs.

1. **Qui.** — *Qui* peut être du masculin, du féminin ou du neutre, du singulier ou du pluriel, et avoir les fonctions suivantes dans la proposition relative :

Sujet :

Je fais ce ***qui*** *me plaît.*

Qui, pronom relatif, neutre singulier, est sujet de **plaît.**

C'est un tyran pour tous les gens ***qui*** *l'entourent.*

Qui, pronom relatif, masculin pluriel, est sujet de **entourent.**

Complément d'objet indirect :

Connaissez-vous la personne de ***qui*** *je parlais?*

Qui, pronom relatif, féminin singulier, est complément d'objet indirect de **parlais.**

Complément circonstanciel :

Cet ami pour ***qui*** *vous avez sacrifié votre repos vous abandonne.*

Qui, pronom relatif, masculin singulier, est complément circonstanciel d'intérêt de **avez sacrifié.**

Qui, complément, n'admet comme antécédent qu'un nom de personne ou de chose personnifiée.

2. **Que.** — *Que* peut être du masculin, du féminin ou du neutre, du singulier ou du pluriel, et avoir les fonctions suivantes dans la proposition relative :

Attribut du sujet :

La rusée ***qu'****elle est a deviné.*

Que, pronom relatif, féminin singulier, est attribut de **elle.**

Complément d'objet direct :

Il saisit la main ***que*** *je lui tendis.*

Que, pronom relatif, féminin singulier, est complément d'objet direct de **tendis.**

Complément circonstanciel de temps :

Il n'y a pas deux jours ***que*** *je l'ai vu.*

Que, pronom relatif, masculin pluriel, est complément circonstanciel de temps de **ai vu.**

3. **Quoi.** — *Quoi* est du neutre singulier (antécédents : *rien, ce, cela*) et peut avoir dans la proposition relative les fonctions suivantes :

Complément d'objet indirect ou complément circonstanciel :

Voilà, précisément, ce à ***quoi*** *je réfléchissais.*

Quoi, pronom relatif, neutre singulier, complément d'objet indirect de **réfléchissais.**

Complément de l'adjectif :

Il n'est rien à ***quoi*** *je ne sois prêt.*

Quoi, pronom relatif, neutre singulier, est complément de l'adjectif **prêt.**

Quoi s'emploie sans antécédent dans diverses expressions :

Grâce à ***quoi,*** *sans* ***quoi,*** *moyennant* ***quoi,*** *c'est à* ***quoi.***

4. **Dont.** — *Dont* est du masculin, du féminin ou du neutre, du singulier ou du pluriel, et a dans la proposition relative les fonctions suivantes :

Complément du nom :

Il raconta l'accident ***dont*** *il avait été le témoin.*

Dont, pronom relatif, masculin singulier, est complément du nom **témoin.**

Complément de l'adjectif :

Je vous donne un travail ***dont*** *vous me semblez capable.*

Dont, pronom relatif, masculin singulier, est complément de l'adjectif **capable.**

Complément d'agent :

Il se retourna vers celui ***dont*** *il se croyait méprisé.*

Dont, pronom relatif, masculin singulier, est complément d'agent de **méprisé.**

Complément circonstanciel de cause :

La maladie ***dont*** *il est mort semblait au début sans gravité.*

Dont, pronom relatif, féminin singulier, est complément circonstanciel de cause de **est mort.**

Complément circonstanciel de lieu (origine).

La famille ***dont*** *je descends est originaire du Midi.*

Dont, pronom relatif, féminin singulier, est complément circonstanciel de lieu de **descends.**

Complément circonstanciel de moyen ou de manière :

Il se saisit d'une pierre ***dont*** *il le frappa.*

Dont, pronom relatif, féminin singulier, est complément circonstanciel de moyen de **frappa.**

Complément d'objet indirect :

C'est une aventure ***dont*** *il se souvenait fort bien.*

Dont, pronom relatif, féminin singulier, complément d'objet indirect de **se souvenait.**

5. **Où.** — *Où* ne peut s'appliquer qu'aux choses; il remplace le pronom relatif *lequel* précédé d'une préposition, et peut avoir dans la proposition relative les fonctions suivantes :

Complément circonstanciel de lieu :

Le village **où** (dans lequel) *il s'est retiré est loin de la grand-route.*
Où, pronom relatif, masculin singulier, est complément circonstanciel de lieu de **s'est retiré.**

Complément circonstanciel de temps :

Il a fait très froid la semaine **où** (pendant laquelle) *vous êtes partis.*
Où, pronom relatif, féminin singulier, est complément circonstanciel de temps de **êtes partis.**

D'où s'emploie sans antécédent, au sens de **de quoi,** dans des formules conclusives :

D'où *je conclus que...*

6. **Lequel.** — *Lequel* et les autres formes composées *auquel, duquel, laquelle, de laquelle, à laquelle, lesquels, desquels, auxquels, lesquelles, desquelles, auxquelles* s'emploient :

a) Quand l'antécédent est un nom de chose et que le relatif est précédé d'une préposition : *La* ***persévérance avec laquelle*** *il a travaillé mérite récompense.*

b) A la place de *que* ou de *qui* lorsqu'une équivoque est possible :

Je connaissais fort bien le ***fils*** *de sa voisine,* ***lequel*** *avait les mêmes goûts.*
Qui *avait les mêmes goûts : qui* pourrait remplacer *fils* ou *voisine.*

c) A la place de *dont,* complément d'un nom lui-même complément indirect :

Prenez soin de ces dossiers, de la ***perte desquels*** *vous auriez à répondre.*

124. Place du relatif.

Le pronom relatif, précédé ou non d'une préposition, est placé *en tête de la proposition relative* et immédiatement après son antécédent :

Il revoyait dans un rêve cette ***maison dont*** *il connaissait chaque pierre.*

Il est séparé de son antécédent lorsque celui-ci est suivi d'un adjectif, d'un complément du nom ou lorsqu'il s'agit d'un pronom personnel atone, ou lorsqu'il est complément d'un nom lui-même complément indirect.

Je ***le*** *vis* ***qui*** *ramassait un petit bout de ficelle.*
Il aimait la ***musique,*** *à l'étude de* ***laquelle*** *il se consacrait.*

Dans la langue littéraire, l'écrivain sépare parfois l'antécédent du relatif :

*Alors l'****arbre*** *s'écroula,* ***que*** *la foudre avait frappé.*

125. Répétition du pronom relatif.

1. Le pronom relatif est répété lorsque plusieurs propositions relatives sont coordonnées ou juxtaposées et *que la fonction du relatif n'est pas la même* ou *lorsque ces propositions sont longues* :

Je vous conseille de lire ce ***livre que*** *j'ai acheté la semaine dernière et* ***dont*** *j'aime beaucoup le sujet.*

2. Le pronom relatif *peut ne pas être répété quand les propositions sont courtes* et qu'il a *même fonction* :

Le paysan ***qui*** *me servait de guide et ne me parlait guère me montra du doigt le village.*

Qui me servait de guide et *qui* ne me parlait guère.

126. Les relatifs indéfinis.

Les pronoms relatifs indéfinis sont : *quiconque, qui que, qui que ce soit qui, quoi que* (en deux mots); ils sont employés sans antécédent, avec le sens de *tout homme qui, toute chose que*, etc. :

Quiconque *cherchera trouvera.*

Quoi que *vous disiez, je m'en tiendrai à ma première idée.*

Qui que ce soit qui *vienne, dites que je suis occupé.*

Quiconque s'emploie parfois comme pronom indéfini au sens de *n'importe qui* :

Défense à **quiconque** *de pénétrer.*

Quel que est un adjectif relatif indéfini, où *quel* est variable et s'accorde avec le sujet du verbe; il introduit alors une proposition de concession (voir p. 147) au subjonctif :

Quelle que *soit votre bonté, vous ne pouvez lui pardonner.*

Quelles qu'*aient été vos souffrances, oubliez-les.*

Placé immédiatement devant le verbe être, **quel que** s'écrit en deux mots.

127. Adjectifs relatifs.

L'adjectif relatif, qui a la même forme que le pronom relatif *lequel*, est d'un emploi rare, restreint à la langue judiciaire ou à l'expression *auquel cas.*

Il s'accorde en genre et en nombre avec le mot auquel il se rapporte :

Après avoir entendu les témoins, ***lesquels*** *témoins ont déclaré...*

S'il pleuvait ce soir, ***auquel cas*** *je ne pourrais pas venir...*

PRONOMS ET ADJECTIFS INTERROGATIFS

Ex. 6ᵉ : p. 90. — *Ex. 5ᵉ* : p. 54. — *Ex. 4ᵉ-3ᵉ* : p. 62.

128. Pronoms interrogatifs.

Les pronoms interrogatifs invitent à désigner la personne ou la chose sur laquelle porte l'interrogation :

***Qui** as-tu rencontré?* *De **quoi** parlez-vous?*

Le pronom interrogatif peut être *direct*. L'interrogation est posée directement; la proposition se termine par un point d'interrogation :

*A **qui** faut-il adresser cette réclamation?*

Qui, pronom interrogatif direct.

Le pronom interrogatif peut être *indirect*. La question est posée par l'intermédiaire d'un verbe comme *demander, savoir, dire, ignorer* :

*Je demande à **qui** il faut adresser cette réclamation.*

Qui, pronom interrogatif indirect.

129. Formes des pronoms interrogatifs.

Le pronom interrogatif a des *formes normales* et des *formes d'insistance*. Ces formes varient avec le nombre : singulier et pluriel, et avec le genre : masculin, féminin ou neutre (désignant des choses vagues ou des idées).

Formes normales

		masculin	**féminin**	**neutre**
Simples	**singulier**	qui ?	qui ?	quoi ? que ? ce qui, ce que
	pluriel	qui ? (rare)		(interrog. indirecte)
		masculin		**féminin**
Composées	**singulier**	lequel, duquel, auquel		laquelle, de laquelle, à laquelle.
	pluriel	lesquels, desquels, auxquels		lesquelles, desquelles, auxquelles.

Formes d'insistance

Simples	**personnes :**	qui est-ce qui ? qui est-ce que ? lequel est-ce qui ?
	choses :	qu'est-ce qui ? qu'est-ce que ? de quoi est-ce que ?, etc.

REMARQUES : 1. Les formes d'insistance sont devenues dans la langue parlée les formes habituelles de l'interrogation directe.

2. **Que** s'élide en **qu'** devant une voyelle ou un *h* muet.

130. Emplois et fonctions des pronoms interrogatifs.

1. **Qui** (dans l'interrogation directe ou indirecte).
Le pronom interrogatif *qui* désigne une personne et peut être :

	interrogation directe et	indirecte
Sujet :	***Qui*** *frappe à la porte?*	*Je demande* ***qui*** *frappe à la porte.*
Attribut :	***Qui*** *êtes-vous?*	*Je ne sais, je demande* ***qui*** *vous êtes.*
Complément :		
d'objet direct	***Qui*** *verra-t-on à la fête?*	*Je demande* ***qui*** *l'on verra.*
d'objet indirect	*A* ***qui*** *doit-on obéir?*	*Je demande à* ***qui*** *l'on doit obéir.*
du nom	*De* ***qui*** *a-t-on pris l'avis?*	*Je demande de* ***qui*** *l'on a pris l'avis.*
de l'adjectif	*De* ***qui*** *est-il jaloux?*	*Je demande de* ***qui*** *il est jaloux.*
d'agent	*Par* ***qui*** *fut-il nommé?*	*Je demande par* ***qui*** *il fut nommé.*
d'attribution	*A* ***qui*** *donne-t-on le prix?*	*Je ne sais à* ***qui*** *on donne le prix.*
circonstanciel	*Avec* ***qui*** *vient-il?*	*Je ne sais avec* ***qui*** *il vient.*

2. **Que** (*ce qui, ce que* dans l'interrogation indirecte).
Le pronom *que* désigne une personne, une chose, une idée; il peut être :

Sujet :	***Que*** *se passe-t-il?*	*Je demande* ***ce qui*** *se passe.*
Attribut :	***Qu'****êtes-vous devenu?*	*Je me demande* ***ce qu'****il est devenu.*
Complément :		
d'objet direct	***Que*** *désirez-vous?*	*Je demande* ***ce qu'****il désire.*
circ. de prix	***Que*** *coûte ce livre?*	*Je demande* ***ce que*** *coûte ce livre.*

3. **Quoi** (*ce que, quoi* dans l'interrogation indirecte).
Le pronom *quoi* désigne une chose vague ou une idée; il peut être :

Sujet :	***Quoi*** *de nouveau?*	*Je demande* ***ce qu'****il y a de nouveau.*
Complément :		
d'objet direct	***Quoi*** *répondre?*	*Je ne sais* ***quoi*** *répondre.*
d'objet indirect	*A* ***quoi*** *cela peut-il servir?*	*Je ne sais à* ***quoi*** *cela peut servir.*
d'agent	*Par* ***quoi*** *est-il ému?*	*Je ne sais par* ***quoi*** *il est ému.*
d'attribution	*A* ***quoi*** *doit-il son échec?*	*Je ne sais à* ***quoi*** *il doit son échec.*
circonstanciel	*Sur* ***quoi*** *avez-vous parlé?*	*Je ne sais sur* ***quoi*** *il a parlé.*

4. **Lequel** (dans l'interrogation directe ou indirecte).
Le pronom *lequel* invite à désigner un être ou une chose; il peut être :

Sujet :	***Lequel*** *d'entre vous désire me parler?*	*Je ne sais* ***lequel*** *d'entre eux désire me parler.*
Complément :		
d'objet direct	***Lequel*** *de ces deux livres préfères-tu?*	*Je ne sais* ***lequel*** *de ces deux livres je préfère.*
d'objet indirect	***Auquel*** *des deux songez-vous?*	*Je ne sais* ***auquel*** *des deux vous songez..*
de nom	***Duquel*** *de ces fruits préférez-vous le parfum?*	*Je ne sais* ***duquel*** *de ces fruits je préfère le parfum.*
de l'adjectif	***Auquel*** *de ces emplois paraît-il le plus apte?*	*Je vous demande* ***auquel*** *de ces emplois il paraît le plus apte.*
d'agent	***Par lequel*** *des deux avez-vous été frappé?*	*Je ne sais par* ***lequel*** *des deux vous avez été frappé.*
d'attribution	***Auquel*** *des deux avez-vous donné ce livre?*	*Je ne sais* ***auquel*** *des deux vous avez donné ce livre.*

131. Adjectif interrogatif.

L'adjectif interrogatif invite à indiquer la qualité d'un être ou d'une chose sur lesquels porte la question. Il s'accorde en genre et en nombre avec le nom auquel il se rapporte :

De ***quelle*** *province êtes-vous originaire?*

L'adjectif interrogatif est **quel** au masculin et **quelle** au féminin (pluriel *quels* et *quelles*).

REMARQUE : L'adjectif interrogatif peut aussi être employé comme *adjectif exclamatif* exprimant l'admiration, la surprise, l'indignation, etc. :

Quel *beau fruit!* ***Quelle*** *était mon erreur!*

Quel (interrogatif ou exclamatif) s'emploie comme épithète ou comme attribut :

Quel *jour viendrez-vous?* ***Quel*** *est cet arbre?*
Quelle *journée superbe!* ***Quelle*** *fut sa surprise!*

PRONOMS ET ADJECTIFS INDÉFINIS

Ex. 6e : p. 92 et 94. — Ex. 5e : p. 56. — Ex. 4e-3e : p. 66.

132. Pronoms indéfinis.

Les pronoms indéfinis indiquent une personne, une chose ou une idée, *de manière vague et indéterminée;* ils peuvent être du masculin, du féminin ou du neutre :

Quelqu'un *a sonné à la grille du jardin.* (*Quelqu'un,* masculin.)
Aucune *d'entre elles* ***n'****avait osé intervenir.* (*Aucune,* féminin.)
Il n'en a ***rien*** *su.* (*Rien,* neutre.)

133. Formes des pronoms indéfinis.

MASCULIN	FÉMININ	NEUTRE
aucun, nul, personne	aucune, nulle, personne	rien
n'importe qui, je ne sais qui	n'importe qui, je ne sais qui	n'importe quoi, je ne sais quoi
certains, plus d'un, plusieurs	certaines, plus d'une, plusieurs	
l'un, l'autre, un autre, autrui	l'une, l'autre, une autre	
on, quelqu'un, quelques-uns	on, quelqu'une, quelques-unes	quelque chose
chacun	chacune	
tel, le même, tout, tous	telle, la même, toute, toutes (voir pp. 72 et 73)	tout
quiconque (v. p. 64)		

134. Fonctions des pronoms indéfinis.

Les pronoms indéfinis peuvent avoir toutes les fonctions du nom :

Sujet :

Nul *ne l'avait vu.*
Nul, pronom indéfini, masculin, sujet de **avait vu.**

Complément d'objet direct :

Il recevait ***n'importe qui.***
N'importe qui, pronom indéfini, masculin, complément d'objet direct de **recevait.**

Complément d'objet indirect :

Ne vous fiez pas à ***certains.***
Certains, pronom indéfini, masculin pluriel, complément d'objet indirect de **fiez.**

Complément d'attribution :

Donnez à ***chacun*** *sa part.*
Chacun, pronom indéfini, masculin singulier, complément d'attribution de **donnez.**

Complément d'agent :

Je ne suis connu de ***personne*** *ici.*
Personne, pronom indéfini, masculin singulier, complément d'agent de **suis connu.**

Complément circonstanciel :

Il vient avec ***quelqu'un.***
Quelqu'un, pronom indéfini, masculin singulier, complément circonstanciel d'accompagnement de **vient.**

135. Adjectifs indéfinis.

Les adjectifs indéfinis accompagnent un nom pour indiquer une idée vague de quantité, de qualité, de ressemblance ou de différence :

Il n'a jamais eu ***aucun*** *ami.*
Aucun, adjectif indéfini, indique une idée de quantité.

En ***certaines*** *circonstances, il faut être prudent.*
Certaines, adjectif indéfini, indique une idée de qualité.

L'adjectif indéfini se rapporte au nom qu'il accompagne et s'accorde en genre et en nombre avec lui :

Aucun, masculin singulier, se rapporte à *ami;*
Certaines, féminin pluriel, se rapporte à *circonstances.*

136. Formes des adjectifs indéfinis.

IDÉES DE	MASCULIN	FÉMININ
Qualité :	certain, n'importe quel, je ne sais quel, quelque, quelconque	certaine, n'importe quelle, je ne sais quelle, quelque, quelconque
Quantité :	aucun, pas un, nul, divers, différents, plusieurs, plus d'un, maint, quelques, chaque, tout	aucune, pas une, nulle, diverses, différentes, plusieurs, plus d'une, mainte, quelques, chaque, toute
Différence :	autre, quelque autre	autre, quelque autre
Ressemblance :	même, tel	même, telle

137-138. Emploi des pronoms et des adjectifs indéfinis.

Aucun. — *Aucun, aucune,* pronom ou adjectif indéfini toujours accompagné de la négation *ne* ou de la préposition *sans,* a le sens de *absolument personne :*

*Il **n'**en est **aucun** qui sache mieux son rôle. **Aucune** démarche **n'**a été faite. Il a réussi **sans aucun** effort.*

REMARQUES : 1. *Aucun* signifiait anciennement *quelque, quelqu'un* et était employé sans négation; il reste employé sans négation dans les phrases dubitatives :

Il doutait qu'aucun d'entre vous réussît.

Aucun et *nul* peuvent être employés au pluriel : ***aucuns** frais; **nuls** soucis.*
Dans la langue littéraire, **d'aucuns** signifie *certains :*

***D'aucuns** sont d'un avis différent du vôtre.*

2. Si l'on veut insister sur l'idée de négation, on emploie *pas un, pas une, nul, nulle,* pronoms ou adjectifs indéfinis, toujours suivis de la négation *ne :*

***Pas un** assistant **ne** se leva pour le contredire. **Nul ne** le revit.*

Autre, autrui. — *Autre,* pronom ou adjectif indéfini, sert à distinguer une personne ou une chose d'une première personne ou d'une première chose considérée :

*Une **autre** vous remplacera. Venez au début de l'**autre** semaine.*

Autrui, pronom indéfini employé seulement comme complément dans les phrases sentencieuses, désigne l'ensemble des personnes distinguées de soi :

*Ne fais pas à **autrui** ce que tu ne voudrais pas qu'on te fît.*

Au sens de « différent », *autre* s'emploie comme adjectif qualificatif :

*Le résultat fut tout **autre.***

Certain. — *Certain, certaine,* adjectifs indéfinis, et *certains, certaines,* pronoms indéfinis, ont un *sens indéterminé :*

***Certaine** affaire m'appelle en province. **Certains** me l'ont dit.*

Chaque, chacun. — *Chaque,* adjectif indéfini, *chacun, chacune,* pronoms indéfinis, s'appliquent à toutes les personnes ou à toutes les choses d'un groupe, mais prises séparément :

***Chaque** phrase était ponctuée d'un geste.*
***Chacune** de ces discussions éveillait en lui de tristes souvenirs.*

Divers, plusieurs. — *Divers* (ou *différents*), adjectif indéfini, *plusieurs (maint, plus d'un),* pronom et adjectif indéfini, indiquent une quantité plus ou moins importante, mais ils ont toujours une valeur de pluriel :

***Divers** amis m'ont prévenu **maintes** fois.*
***Plusieurs** m'ont assuré de leur sympathie en **maintes** circonstances.*

L'un, l'autre. — *L'un, l'autre*, pronoms indéfinis, indiquent que l'on considère une personne ou un objet isolément en les séparant d'un groupe :

L'un lève la tête, *l'autre* griffonne sur une page.*

Ni l'un ni l'autre signifie aucun des deux; *l'un et l'autre*, tous les deux; *l'un ou l'autre*, un des deux. *L'un l'autre* marque la réciprocité :

*Ils se haïssent **l'un l'autre.***

On. — *On* (ou *l'on*), pronom indéfini toujours employé comme sujet, désigne une ou plusieurs personnes de manière imprécise :

***On** entendait courir dans la rue.*

Dans la langue parlée ou, littérairement, avec une valeur affective (modestie, sympathie, ironie, etc.), le pronom *on* peut remplacer les pronoms personnels *il, elle, nous, vous, ils, elles, je, tu*. Dans ce cas, l'adjectif (ou le participe attribut) s'accorde, le cas échéant, avec l'idée de féminin ou de pluriel contenue dans *on*, mais le verbe (ou l'auxiliaire) reste au singulier :

***On** est bien **spirituelle** aujourd'hui !* **(on représente une femme).**

***On** a été **retardés** par l'orage* **(on = nous, emploi familier).**

Personne, rien. — *Personne, rien*, pronoms indéfinis toujours accompagnés de la négation *ne* ou précédés de la préposition *sans*, ont le sens de *aucun, aucune chose :*

***Personne ne** l'avait entendu.* *Il **n'a rien** vu qui retînt son attention.*

*Il est revenu de la chasse **sans** avoir **rien** pris.*

Personne et *rien* gardent parfois le sens de *quelqu'un, quelque chose*, qu'ils avaient encore au XVIIe siècle (prop. interrogative, conditionnelle, etc.) :

*Avez-vous **rien** entendu de plus plaisant?*

Précédés de l'article, *personne* et *rien* peuvent être des noms :

***Une personne** est venue me voir.* ***Un rien** l'amuse.*

Quelconque, quiconque. — *Quelconque*, adjectif indéfini, *quiconque*, pronom indéfini (qui peut être aussi relatif indéfini), signifient *n'importe lequel, n'importe qui :*

*Ouvrez ce livre à une page **quelconque.***

*Il est à la portée de **quiconque** de résoudre ce problème.*

Si l'on veut insister sur l'idée d'indétermination, on emploie *n'importe qui, n'importe quoi :*

*Il ferait **n'importe quoi** pour l'aider.*

Quelqu'un. — *Quelqu'un, quelqu'une*, pronoms indéfinis, désignent au singulier une personne indéterminée, et, au pluriel, indiquent un nombre indéterminé :

***Quelqu'un** aurait-il fait obstacle à ton projet?*

***Quelques-uns** l'avaient connu jadis.*

139. Tel.

1. **Adjectif qualificatif,** quand il a le sens de :

   a) **semblable, pareil.**

   Le jardin est ***tel*** *que je l'avais imaginé.*

   La proposition conjonctive introduite par *que* est une subordonnée comparative (voir p. 150).

   b) **si grand, si important.**

   Ses paroles avaient une ***telle*** *sincérité que tous furent émus.*

   La proposition conjonctive introduite par *que* est une subordonnée consécutive (voir p. 146).

2. **Adjectif indéfini,** quand il a le sens de :

   un certain...

   Telle *page était griffonnée,* ***telle*** *autre tachée d'encre.*

3. **Pronom** ou **adjectif démonstratif,** quand il a le sens de :

   ce, cet, cela, celui-ci.

   Tels *furent les résultats de ses efforts.*

4. **Pronom indéfini,** quand il a le sens de :

   quelqu'un, quelque chose.

   Tel *est pris qui croyait prendre.*

140. Même.

1. **Adjectif indéfini,** quand il a le sens de :

   a) **semblable, identique.** (Placé entre l'article et le nom.)

   Ils prirent la ***même*** *route.*

   b) **personnellement.** (Renforcement du pronom personnel.)

   *Nous-****mêmes*** *nous avons ri.*

   c) **précisément.**

   Il est venu le matin ***même.***

   d) **au plus haut point.** (Placé après le nom ou le pronom.)

   Il est la prudence ***même.***

2. **Adverbe,** quand il a le sens de :

   a) **aussi.** (Placé avant ou, plus rarement, après le nom accompagné de l'article.)

   Même *les plus forts peinaient.*

   b) **bien que.** (Placé devant un adjectif.)

   Même *ruinés, ils n'avaient pas perdu leur fierté.*

   c) **en outre, de plus.** (Placé devant un verbe.)

   Il le vit et ***même*** *lui parla.*

REMARQUE : *Même,* adverbe, reste **invariable** dans tous les cas.
Même peut être pronom indéfini : *Ce n'est pas* ***le même.***

141. Tout.

1. **Adjectif qualificatif,** quand il signifie :

   a) **tout entier.** (Placé devant un nom accompagné de l'article.)
   __Toute__ la famille est réunie.

   b) **seul.**
   Pour __toute__ excuse, il allégua son ignorance.

2. **Adjectif indéfini,** quand il signifie :

   a) **chaque, n'importe quel.**
   A __tout__ instant, je suis obligé de m'arrêter.

   b) **tous sans exception.**
   __Tous__ les élèves sont tenus de remettre des devoirs.

3. **Pronom indéfini,** quand il signifie :

   a) **tout le monde, toutes les choses.**
   __Tous__ sortirent de la salle.

   b) **n'importe qui, n'importe quoi.**
   __Tout__ arrive à qui sait attendre.

4. **Adverbe,** quand il signifie :

   tout à fait. (Modifiant un adjectif, un adverbe, un verbe, un nom.)
   Des livres __tout__ neufs. Il marchait __tout__ doucement.

REMARQUE : Comme adverbe, *tout* reste invariable, sauf devant les adjectifs féminins commençant par une consonne ou un *h* aspiré :
Elle s'arrêta __tout__ étonnée, __toute__ honteuse. Des fleurs __toutes__ blanches.

On admet toutefois l'accord devant les adjectifs commençant par une voyelle ou un *h* muet : *La province __tout__ entière ou __toute__ entière.*

5. **Nom,** quand, précédé de l'article, il a le sens de :

   la totalité, l'ensemble. *Donnez-moi __le tout.__*

142. Quelque.

1. **Adjectif indéfini,** quand, précédant un nom, il a le sens de :

   plusieurs, une certaine quantité, un certain nombre, un certain.
   __Quelques__ indiscrets lui auront raconté mon aventure.

   Ou encore quand, précédant un nom suivi de *que* relatif, il introduit une proposition de concession (voir pp. 64 et 147).
   __Quelques__ raisons que vous avanciez, vous ne me convaincrez pas.

2. **Adverbe invariable,** quand il a le sens de :

   a) **environ.** *Il y a __quelque__ quarante ans.*

   b) **tellement.** Devant un adjectif suivi de *que* conjonction, introduisant une proposition de concession (voir p. 147).
   __Quelque__ grands que soient ses efforts, il ne saurait y réussir.

ADJECTIFS NUMÉRAUX

Ex. 6e : p. 96. — Ex. 5e : p. 58. — Ex. 4e-3e : p. 71.

143. Adjectifs numéraux.

Les *adjectifs numéraux* désignent le nombre ou le rang précis des êtres ou des choses qu'ils déterminent :

Un timbre à ***quinze*** *centimes. Prenez la* ***troisième*** *rue à gauche.*

On distingue :

Les adjectifs numéraux **cardinaux,** qui indiquent *un nombre* précis :
Un village de ***trois cents*** *habitants. Un tunnel de* ***quatre*** *kilomètres.*

Les adjectifs numéraux **ordinaux,** qui indiquent *un rang* précis :
Il habite au ***troisième*** *étage. J'ai fini le* ***deuxième*** *tome de cet ouvrage.*

144. Formes des adjectifs numéraux.

1. Les adjectifs numéraux **cardinaux** sont :

a) Des **mots simples** : *un, deux, trois, quatre, cinq, quatorze, quinze, trente, cent, mille,* etc.

b) Des **mots composés** par addition : *dix-huit; vingt et un;*
par multiplication : *quatre-vingts; deux cents.*

Il est d'usage de mettre le trait d'union dans tous les noms de nombre composés inférieurs à *cent* qui ne sont pas liés par la conjonction *et* (voir Tolérances grammaticales, p. 158) :

Vingt-deux, *vingt et un, trois cents.*

2. Les adjectifs numéraux **ordinaux** sont :

a) Des **mots formés avec le suffixe *-ième.***

simples : *Trois**ième,*** *mill**ième,*** *cent**ième.***
composés : *Vingt et un**ième,*** *trente-deux**ième.***

Dans les composés, le suffixe **-ième** ne s'ajoute qu'au dernier des adjectifs composants : *quarante-cinqu**ième.***

b) Des **mots particuliers.** *Premier, second.*

145. Accord des adjectifs numéraux.

1. Les adjectifs numéraux **cardinaux** sont *invariables* :

Trente-quatre *lignes. Page* ***trente-quatre.*** ***Deux mille*** *soldats.*
Les ***quatre*** *points cardinaux. Les* ***Sept*** *Sages de la Grèce.*

Toutefois :

a) **Un** fait **une** au féminin : **Vingt et une** *pages;*

b) **Vingt** et **cent** prennent la marque du pluriel quand, multipliés par un autre adjectif numéral, ils forment le deuxième terme d'un adjectif numéral composé. Mais il est d'usage de ne pas mettre d's s'ils sont suivis d'un autre adjectif numéral (voir Tolérances grammaticales, p. 158) :

Deux ***cents,*** *quatre-****vingts;*** mais *deux* ***cent un,*** *quatre-****vingt-deux.***

2. Les adjectifs numéraux **ordinaux** *varient en genre et en nombre* avec le nom auquel ils se rapportent :

Les ***premières*** *pages d'un livre.*

3. Dans les millésimes, on écrit **mille** ou **mil :**

En ***mille*** *sept cent quinze ou en* ***mil*** *sept cent quinze.*

146. Emplois particuliers.

1. L'adjectif numéral **cardinal** s'emploie souvent avec le *sens ordinal* (dans ce cas, il reste toujours invariable), pour indiquer :

a) Le **jour,** l'**heure,** l'**année.**

Le ***quinze*** *janvier* ***mille neuf cent deux*** *à* ***huit*** *heures.*

b) Le **rang** d'un souverain, d'un prince.

Charles ***huit;*** *Louis* ***dix*** (mais on dit : *François* ***premier***).

c) Le **numéro** d'une maison, d'une page.

Au ***trente,*** *rue Mozart; page* ***quatre-vingt.***

2. L'adjectif numéral **cardinal** ou **ordinal** peut indiquer une grandeur *imprécise :*

Répétez ***dix*** *fois la même chose.* *Attendez* ***deux*** *minutes.*

147. Les noms de nombre.

Les noms de nombre sont :

a) Des **adjectifs numéraux** employés comme **noms.**

Deux *et* ***deux*** *font* ***quatre.*** *Un* ***dixième*** *de la Loterie nationale.*

b) Des **multiplicatifs.**

Le ***simple,*** *le* ***double,*** *le* ***triple.***

Ils peuvent être employés comme adjectifs qualificatifs :

une feuille ***simple,*** *un* ***triple*** *saut, une* ***double*** *page.*

c) Des noms avec le suffixe **-aine** indiquant une quantité plus ou moins précise.

Une ***vingtaine*** *de badauds. Une* ***centaine*** *de barques.*

d) Des noms avec le suffixe **-ain** indiquant la quantité de vers dans une strophe.

Un sonnet comprend deux ***quatrains*** *et deux tercets.*

Un ***sizain*** *est une strophe de six vers.*

e) Des noms indiquant une **fraction.**

Payez le ***tiers*** *de vos impôts.*

LE VERBE

Ex. 6e : p. 50.
Ex. 5e : p. 60 et 62.
Ex. 4e-3e : p. 75.

148. Verbes d'action et verbes d'état.

Le verbe est un *mot de forme variable,* qui exprime une *action* faite ou subie par le sujet, ou qui indique un *état* du sujet :

*Je **marchais** seul dans la rue obscure.*
*Les pièces défectueuses **seront remplacées** gratuitement.*
*Cet appartement **était resté** libre plusieurs mois.*

On distingue :

1. **Les verbes d'action** (le mot action étant pris en un sens large).

*Il le **reçut** avec politesse. Le malade **a subi** une opération.*

2. **Les verbes d'état,** qui introduisent le plus souvent un attribut du sujet.

*Il **paraissait** désespéré. Il **devenait** plus habile.*

Le même verbe peut être *verbe d'action* (à la forme active) et *verbe d'état* (à la forme passive) :

*Il **éclaira** la pièce. La pièce **est éclairée.***

Une **locution verbale** est un groupe de mots (verbe accompagné d'un nom, d'un adjectif ou d'un verbe) qui joue le *rôle de verbe : avoir envie, avoir l'air, faire peur, rendre service, tourner court, faire croire, il y a, il y avait,* etc.

***J'ai envie** de ce livre. Il **ajoute foi** à son histoire.*

On reconnaît qu'un groupe de mots forme une *locution verbale* lorsque le nom qui y entre n'est *pas précédé de l'article,* sauf quelques rares exceptions : *avoir l'air, avoir le temps,* etc.

149. Verbes transitifs et intransitifs.

Un verbe peut avoir le *sens transitif* ou le *sens intransitif.*

1. — Un verbe est **transitif** quand l'action s'accomplit sur un être animé ou sur une chose, qui est alors **complément d'objet :**

*J'**ouvre** la **porte**. Je **sais** que tu **m'attends**.*

a) **Le complément d'objet** peut suivre *directement* le verbe sans l'intermédiaire d'une préposition; il est **complément d'objet direct;** le verbe est **transitif direct :**

*Il **reprit** son **livre**.*

Livre est complément d'objet direct de ***reprit;***

reprit est *transitif direct.*

b) **Le complément d'objet** peut dépendre du verbe par l'intermédiaire d'une préposition; il est complément **d'objet indirect;** le verbe est **transitif indirect.**

*Il **pardonne à** ses **ennemis**.*

Ennemis est complément d'objet indirect de ***pardonne;***

pardonne est *transitif indirect.*

c) Un verbe peut être tantôt **transitif direct,** tantôt **transitif indirect;** les deux constructions ont généralement un sens différent :

*Il **manque** son but* (transitif direct).

*Il **manque à** sa parole* (transitif indirect).

2. — Un verbe est **intransitif** quand l'action ne s'accomplit pas sur un complément d'objet, mais reste limitée au sujet :

*Pierre **part** pour la campagne* (**partir** est un verbe *intransitif*).

Les verbes *d'état* sont **toujours intransitifs :**

*Il **semblait** déconfit* (**sembler** est intransitif; *déconfit* est attribut du sujet *il*).

3. — Des verbes **intransitifs** peuvent être employés **transitivement :**

*Il **est** déjà **descendu*** (**descendre,** verbe *intransitif*).

*Il **a descendu** les bagages* (**descendre,** employé *transitivement*).

4. — Des verbes **transitifs** peuvent être employés **intransitivement :**

*Il **mange** un morceau de pain* (**manger,** verbe *transitif*).

*Ne le dérangez pas, il **mange*** (**manger,** employé *intransitivement*).

LES FORMES OU VOIX DU VERBE

Ex. *6ᵉ* : p. 14, 16, 50.
Ex. *5ᵉ* : p. 64 et 66.
Ex. *4ᵉ-3ᵉ* : p. 78.

150. Les trois formes.

Le verbe peut se trouver à la forme *active*, *passive* ou *pronominale*.

Les verbes d'action transitifs directs sont les seuls à pouvoir présenter les trois formes. Les verbes d'état et les verbes intransitifs n'existent qu'à la voix active; les verbes transitifs indirects n'ont en général pas de passif :

J'écoute (forme active); ***je suis écouté*** (forme passive);
je m'écoute (forme pronominale).

151. Forme active.

Un verbe est à la forme active *quand le sujet fait l'action* :

L'enfant **court** *dans la rue.*

ou *se trouve dans l'état* indiqué par le verbe :

Elle ***restait*** *silencieuse. Paul* ***était devenu*** *poltron.*

152. Forme passive.

Un verbe est à la forme passive *quand le sujet subit l'action* indiquée par le verbe; le verbe est alors accompagné de l'auxiliaire *être* :

Son fils ***a été blessé*** *par une pierre.*

Le sujet du passif est le complément d'objet de la tournure active correspondante (***une pierre*** *a blessé son fils*). L'action est faite par le complément d'agent (qui est le sujet de la tournure active correspondante), introduit par les prépositions *par* ou *de.*

Le cri a été entendu ***par tous les assistants.***
Assistants est complément d'agent de ***a été entendu.***

Mais ce complément peut ne pas être exprimé :

Il ***a été puni*** *hier.*
A été puni n'est pas suivi d'un complément d'agent.

153. Forme pronominale.

Un verbe est à la forme pronominale *quand le sujet est accompagné d'un pronom personnel réfléchi* de la *même personne* que le sujet et placé avant le verbe :

Les invités ***se réjouirent*** *de son arrivée.* *Paul* ***se regardait*** *dans la glace.*
Je ***me contentai*** *de cette explication.* *Nous* ***nous écrivons*** *souvent.*

On distingue parmi les verbes pronominaux :

1. Les verbes pronominaux proprement dits :

Ce sont des verbes qui **n'existent qu'à la forme pronominale** ou dont le pronom de forme réfléchie n'a pas de fonction grammaticale dans la phrase.

César ne put ***s'emparer*** *de Gergovie.*
(*S'emparer* n'existe qu'à la forme pronominale.)

Il ne ***s'est*** *pas* ***aperçu*** *de son erreur.*
(Dans *s'apercevoir*, le pronom *s'* n'a pas de fonction grammaticale. *Apercevoir* existe à la forme active.)

2. Les verbes pronominaux de sens réfléchi :

Le sujet fait alors l'**action sur lui-même.** Le pronom réfléchi peut être complément d'objet direct, complément d'objet indirect ou complément d'attribution.

Il ***se peigne***	**se,** complément d'objet direct de *peigne*.
Il ***se nuit*** *par son obstination*	**se,** complément d'objet indirect de *nuit*.
Il ***s'accorde*** *du repos*	**s',** complément d'attribution de *accorde*.

3. Les verbes pronominaux de sens réciproque :

Plusieurs personnes (ou êtres animés) font alors **l'une sur l'autre** l'action indiquée par le verbe. Le pronom réciproque peut être complément d'objet direct, complément d'objet indirect ou complément d'attribution.

Georges et Henri ne ***se sont*** *jamais* ***vus***
se, complément d'objet direct de *vus*.

Ils ne ***se sont*** *jamais* ***nui*** *l'un à l'autre*
se, complément d'objet indirect de *nui*.

Pierre et Jean ***se sont adressé*** *des lettres*
se, complément d'attribution de *adressé*.

4. Les verbes pronominaux de sens passif :

Certains verbes peuvent être employés à la voix pronominale avec le sens passif.

Les fruits ***se vendent*** *cher* a le sens passif de : *les fruits sont vendus cher.*

Quand un verbe pronominal réfléchi est employé à l'infinitif après *faire* ou *laisser*, le pronom réfléchi est souvent omis :

Faites ***asseoir*** *le client dans ce bureau.*
Ne laissons pas ***échapper*** *l'occasion.*

VARIATIONS ET ÉLÉMENTS DU VERBE

Ex. 6e : p. 12 et 14. — *Ex. 5e* : p. 68 et 70. — *Ex. 4e-3e* : p. 81.

154. Modes et temps.

L'action ou l'état exprimé par le verbe peut être présenté de plusieurs manières; ce sont les *modes* et les *temps*.

Temps. L'action peut être présentée comme *présente, passée, future;*
présente : **je lis;** *passée* : **j'ai lu;** *future* : **je lirai.**

Mode. L'action peut être présentée comme :
réelle : il lit, ***indicatif;*** *possible* : il lirait, ***conditionnel;***
voulue : lis, ***impératif;*** *désirée* : je demande qu'il lise, ***subjonctif.***

On appelle **modes personnels** l'*indicatif*, le *conditionnel*, le *subjonctif*, l'*impératif*, parce que les formes verbales varient avec les personnes.

On appelle **modes impersonnels** le *participe* et l'*infinitif*, parce que les formes verbales ne varient pas avec les personnes.

Les **temps simples** sont ceux qui sont exprimés par une forme verbale unique :
Il ***lira;*** *il* ***lirait;*** je ***cours;*** *nous* ***allions.***

Les **temps composés** sont ceux qui sont exprimés par une forme verbale composée d'un **auxiliaire** et d'un **participe passé :**
Il ***avait lu*** (actif). *Ce livre* ***est lu*** *de tous* (passif).

Les **temps surcomposés** sont formés de **deux auxiliaires** et d'un **participe passé :** *Dès que j'****ai eu fini*** *mon devoir, je suis allé jouer.*

155. Tableau des modes et des temps.

Indicatif.	*Présent*	je lis.	*Passé composé*	j'ai lu.
	Imparfait	je lisais.	*Plus-que-parfait*	j'avais lu.
	Passé simple	je lus.	*Passé antérieur*	j'eus lu.
	Futur	je lirai.	*Futur antérieur*	j'aurai lu.
Conditionnel.	*Présent*	je lirais.	*Passé 1re forme*	j'aurais lu.
			Passé 2e forme	j'eusse lu.
Subjonctif.	*Présent*	que je lise.	*Passé*	que j'aie lu.
	Imparfait	que je lusse.	*Plus-que-parfait*	que j'eusse lu.
Impératif.	*Présent*	lis, lisez.	*Passé*	aie lu, ayez lu.
Participe.	*Présent*	lisant.	*Passé*	ayant lu.
Infinitif.	*Présent*	lire.	*Passé*	avoir lu.

On appelle **verbes défectifs** les verbes qui ne possèdent pas certains modes ou certains temps.

Le verbe *déchoir* est défectif : il n'a pas d'indicatif imparfait ni d'impératif.

156. Personnes et nombres.

La forme du verbe varie avec la personne ou les personnes qui font l'action indiquée par le verbe :

	SINGULIER	PLURIEL
1re personne	je *lirai*	nous *lirons*
2e personne	tu *liras*	vous *lirez*
3e personne	il *lira*	ils *liront*

L'*impératif* est le seul mode personnel qui ne comporte que la 2e personne du singulier et du pluriel et la 1re personne du pluriel.

157. Verbes impersonnels.

On appelle *verbes impersonnels* les verbes qui n'ont que la 3e personne du singulier, sans que celle-ci désigne une personne ou un objet déterminé :

***Il** faut; **il** pleut; **il** neige.*

Les verbes impersonnels peuvent être des *locutions verbales* :

Il fait beau.

On dit qu'un verbe est *pris impersonnellement* lorsqu'il est employé dans les mêmes conditions que les verbes impersonnels, tout en existant dans un autre sens à toutes les personnes :

***Il arrive** qu'un accident se produise à ce carrefour*
(***arrive,*** pris impersonnellement);

***Il arrive** demain d'Angleterre*
(***arrive,*** verbe personnel).

158. Radical et terminaison.

Les formes verbales simples sont composées d'un *radical,* qui représente l'idée contenue dans le verbe, et d'une *terminaison,* ou *désinence, qui indique le mode, le temps* et *la personne :*

Dans *nous chantons,* **chant-** est le *radical* (que l'on retrouve dans **chant**eur, **chant**onner) et **-ons** la *terminaison,* qui indique l'indicatif présent et la 1re personne du pluriel.

La **terminaison** est donc essentiellement **variable :**

*Je chant**e**, vous chant**erez**, ils chant**èrent**.*

Le **radical** s'obtient en enlevant la terminaison de l'infinitif :

chant-*er*, fin-*ir*, entend-*re*.

Le **radical** est en général **invariable :**

*Je **chant-**e, nous **chant-**ons.*

Mais il peut varier :

a) Les divers temps et modes peuvent être formés sur des *radicaux différents :*

Verbe **aller :** *je **vais**, j'**irai**, que j'**aille**.*

b) Le radical peut varier *à l'intérieur d'un temps ou d'un temps à l'autre :*

Verbe **tenir :** *je **tiens**, nous **tenons**; je **tenais**, je **tiendrai**.*

LES AUXILIAIRES

Ex. 6ᵉ : p. 12, 14, 16.
Ex. 5ᵉ : p. 72.
Ex. 4ᵉ-3ᵉ : p. 84 et 86.

159. Définition.

L'*auxiliaire* est une forme verbale qui a perdu sa signification propre et qui sert à exprimer certains modes ou certains temps d'un autre verbe; on distingue :

1. Les **auxiliaires proprement dits, *avoir*** et ***être :***
*J'**ai lu.** Nous **sommes arrivés** (formes verbales composées* comprenant une forme verbale simple précédée d'un auxiliaire);

2. Les **auxiliaires de temps** ou **de mode,** ou **semi-auxiliaires :**
*Je **viens de** lire* (l'auxiliaire **venir de** indique un passé proche).

160. Les auxiliaires *avoir* et être.

1. L'auxiliaire **avoir** s'emploie pour former les temps composés des verbes transitifs (voix active) et de la plupart des verbes intransitifs :
*Nous **avons entendu** des cris. Il **a vécu** deux ans à Paris.*

2. L'auxiliaire **être** s'emploie pour former les temps simples et composés des verbes passifs, les temps composés des verbes pronominaux et de certains verbes intransitifs (*naître, mourir, devenir, aller, partir,* etc.) :
*Il **est surpris** de ton arrivée. Le chien **s'est jeté** sur lui en aboyant.*
*Le loup **est tombé** dans le piège.*

Certains verbes sont employés comme transitifs avec l'auxiliaire **avoir** et comme intransitifs avec l'auxiliaire **être :**
*Il **a monté** les bagages* (transitif). *Il **est monté** au 3ᵉ étage* (intransitif).

161. Les auxiliaires de mode ou de temps.

Certains verbes sont employés comme auxiliaires pour apporter une nuance particulière de **mode** ou de **temps.**

Mode	Ordre.	**aller**	*Vous **allez** me refaire cela.*
	Probabilité.	**devoir**	*Le locataire **doit** être sorti.*
	Souhait.	**pouvoir**	***Puissiez**-vous venir !*
Temps	Passé très proche.	**venir de**	*Il **vient de** partir.*
	Action qui se fait.	**être en train de**	*Je **suis en train de** lire.*
	Futur très proche.	**être sur le point de**	*J'**étais sur le point de** sortir.*
	Futur proche.	**aller**	*Je **vais** lui parler.*
	Futur.	**devoir**	*Je **dois** partir ce soir.*

VERBE AVOIR

INDICATIF

PRÉSENT

J' ai
Tu as
Il a
Nous avons
Vous avez
Ils ont

IMPARFAIT

J' avais
Tu avais
Il avait
Nous avions
Vous aviez
Ils avaient

PASSÉ SIMPLE

J' eus
Tu eus
Il eut
Nous eûmes
Vous eûtes
Ils eurent

FUTUR

J' aurai
Tu auras
Il aura
Nous aurons
Vous aurez
Ils auront

PASSÉ COMPOSÉ

J' ai eu
Tu as eu
Il a eu
Nous avons eu
Vous avez eu
Ils ont eu

PLUS-QUE-PARFAIT

J' avais eu
Tu avais eu
Il avait eu
Nous avions eu
Vous aviez eu
Ils avaient eu

PASSÉ ANTÉRIEUR

J' eus eu
Tu eus eu
Il eut eu
Nous eûmes eu
Vous eûtes eu
Ils eurent eu

FUTUR ANTÉRIEUR

J' aurai eu
Tu auras eu
Il aura eu
Nous aurons eu
Vous aurez eu
Ils auront eu

SUBJONCTIF

PRÉSENT

Que j' aie
Que tu aies
Qu' il ait
Que nous ayons
Que vous ayez
Qu' ils aient

IMPARFAIT

Que j' eusse
Que tu eusses
Qu' il eût
Que nous eussions
Que vous eussiez
Qu' ils eussent

PASSÉ

Que j' aie eu
Que tu aies eu
Qu' il ait eu
Que nous ayons eu
Que vous ayez eu
Qu' ils aient eu

PLUS-QUE-PARFAIT

Que j' eusse eu
Que tu eusses eu
Qu' il eût eu
Que nous eussions eu
Que vous eussiez eu
Qu' ils eussent eu

CONDITIONNEL

PRÉSENT

J' aurais
Tu aurais
Il aurait
Nous aurions
Vous auriez
Ils auraient

PASSÉ 1re FORME

J' aurais eu
Tu aurais eu
Il aurait eu
Nous aurions eu
Vous auriez eu
Ils auraient eu

PASSÉ 2e FORME

J' eusse eu
Tu eusses eu
Il eût eu
Nous eussions eu
Vous eussiez eu
Ils eussent eu

IMPÉRATIF

PRÉSENT

Aie
Ayons
Ayez

INFINITIF

PRÉSENT

Avoir

PASSÉ

Avoir eu

PARTICIPE

PRÉSENT

Ayant

PASSÉ

Eu, eue, ayant eu

VERBE ÊTRE

INDICATIF

PRÉSENT

Je suis
Tu es
Il est
Nous sommes
Vous êtes
Ils sont

IMPARFAIT

J' étais
Tu étais
Il était
Nous étions
Vous étiez
Ils étaient

PASSÉ SIMPLE

Je fus
Tu fus
Il fut
Nous fûmes
Vous fûtes
Ils furent

FUTUR

Je serai
Tu seras
Il sera
Nous serons
Vous serez
Ils seront

PASSÉ COMPOSÉ

J' ai été
Tu as été
Il a été
Nous avons été
Vous avez été
Ils ont été

PLUS-QUE-PARFAIT

J' avais été
Tu avais été
Il avait été
Nous avions été
Vous aviez été
Ils avaient été

PASSÉ ANTÉRIEUR

J' eus été
Tu eus été
Il eut été
Nous eûmes été
Vous eûtes été
Ils eurent été

FUTUR ANTÉRIEUR

J' aurai été
Tu auras été
Il aura été
Nous aurons été
Vous aurez été
Ils auront été

SUBJONCTIF

PRÉSENT

Que je sois
Que tu sois
Qu' il soit
Que nous soyons
Que vous soyez
Qu' ils soient

IMPARFAIT

Que je fusse
Que tu fusses
Qu' il fût
Que nous fussions
Que vous fussiez
Qu' ils fussent

PASSÉ

Que j' aie été
Que tu aies été
Qu' il ait été
Que nous ayons été
Que vous ayez été
Qu' ils aient été

PLUS-QUE-PARFAIT

Que j' eusse été
Que tu eusses été
Qu' il eût été
Que nous eussions été
Que vous eussiez été
Qu' ils eussent été

CONDITIONNEL

PRÉSENT

Je serais
Tu serais
Il serait
Nous serions
Vous seriez
Ils seraient

PASSÉ Ire FORME

J' aurais été
Tu aurais été
Il aurait été
Nous aurions été
Vous auriez été
Ils auraient été

PASSÉ 2e FORME

J' eusse été
Tu eusses été
Il eût été
Nous eussions été
Vous eussiez été
Ils eussent été

IMPÉRATIF

PRÉSENT

Sois
Soyons
Soyez

INFINITIF

PRÉSENT

Être

PASSÉ

Avoir été

PARTICIPE

PRÉSENT

Étant

PASSÉ

Été, ayant été

Ex. *6ᵉ* : p. 10, 12, 18.
Ex. *5ᵉ* : p. 74 et 76.
Ex. *4ᵉ-3ᵉ* : p. 86.

LES CONJUGAISONS

162. Les groupes de conjugaison.

On distingue *trois groupes* dans les conjugaisons :

1ᵉʳ groupe	**aimer**	Verbes dont l'infinitif se termine par			**-er.**
2ᵉʳ groupe	**finir**	—	—	—	***-ir*** (imparf. : ***-issais***).
3ᵉ groupe	**offrir**	—	—	—	***-ir*** (imparf. : ***-ais***).
	recevoir	—	—	—	***-oir.***
	prendre	—	—	—	***-re.***

Le 1ᵉʳ et le 2ᵉ groupe s'enrichissent de nouveaux verbes (v. p. 9); le 3ᵉ groupe, au contraire, a tendance à s'appauvrir.

De *téléphone,* on a fait ***téléphoner;*** de *noir,* ***noircir.***

Mais ***se rappeler*** (1ᵉʳ groupe) concurrence ***se souvenir*** (3ᵉ groupe) :

*Je **me souviens de** mon enfance; je **me rappelle** mon enfance.*

163. Les formes verbales dans les propositions négatives.

Dans les formes verbales simples, le verbe s'intercale entre les deux parties de la négation : *ne... pas, ne... point, ne... que, ne... jamais,* etc.

*Je **ne*** comprends ***pas*** *votre obstination.*

Dans les formes verbales composées, l'auxiliaire seul s'intercale.

*Je **n'***ai ***point*** attendu *votre conseil pour agir.*

A l'infinitif, la négation précède la forme simple :

*Il sait **ne pas*** insister *quand il a tort.*

164. Les formes verbales des propositions interrogatives.

Dans les propositions interrogatives directes, le rejet du pronom après le verbe (voir *Place du nom sujet*, pp. 26 et 27, et *Place du pronom personnel sujet*, p. 53) peut entraîner des modifications de l'orthographe en raison de la prononciation de certaines formes verbales :

Changement de l'**e** muet en **é :** *parlé-je ?*

Adjonction d'un **-t-** pour empêcher l'hiatus : *acceptera-**t**-il ?*

Toutefois, pour éviter certaines formes, on emploie à la 1ʳᵉ personne, et souvent aux autres, la locution **est-ce que?** qui permet au sujet de rester devant le verbe :

Est-ce que *je pars tout de suite?* ***Est-ce qu'****il acceptera?*

Dans les propositions qui sont à la fois interrogatives et négatives (interro-négatives), la forme verbale simple ou l'auxiliaire s'intercalent entre les deux éléments de la négation :

Ne *viendra-t-il* ***pas*** *demain?* **Ne** *l'avez-vous* ***pas*** *connu jadis?*

VERBE AIMER

INDICATIF

PRÉSENT

J' aime
Tu aimes
Il aime
Nous aimons
Vous aimez
Ils aiment

PASSÉ COMPOSÉ

J' ai aimé
Tu as aimé
Il a aimé
Nous avons aimé
Vous avez aimé
Ils ont aimé

IMPARFAIT

J' aimais
Tu aimais
Il aimait
Nous aimions
Vous aimiez
Ils aimaient

PLUS-QUE-PARFAIT

J' avais aimé
Tu avais aimé
Il avait aimé
Nous avions aimé
Vous aviez aimé
Ils avaient aimé

PASSÉ SIMPLE

J' aimai
Tu aimas
Il aima
Nous aimâmes
Vous aimâtes
Ils aimèrent

PASSÉ ANTÉRIEUR

J' eus aimé
Tu eus aimé
Il eut aimé
Nous eûmes aimé
Vous eûtes aimé
Ils eurent aimé

FUTUR

J' aimerai
Tu aimeras
Il aimera
Nous aimerons
Vous aimerez
Ils aimeront

FUTUR ANTÉRIEUR

J' aurai aimé
Tu auras aimé
Il aura aimé
Nous aurons aimé
Vous aurez aimé
Ils auront aimé

CONDITIONNEL

PRÉSENT

J' aimerais
Tu aimerais
Il aimerait
Nous aimerions
Vous aimeriez
Ils aimeraient

PASSÉ Ire FORME

J' aurais aimé
Tu aurais aimé
Il aurait aimé
Nous aurions aimé
Vous auriez aimé
Ils auraient aimé

PASSÉ 2e FORME

J' eusse aimé
Tu eusses aimé
Il eût aimé
Nous eussions aimé
Vous eussiez aimé
Ils eussent aimé

SUBJONCTIF

PRÉSENT

Que j' aime
Que tu aimes
Qu' il aime
Que nous aimions
Que vous aimiez
Qu' ils aiment

PASSÉ

Que j' aie aimé
Que tu aies aimé
Qu' il ait aimé
Que nous ayons aimé
Que vous ayez aimé
Qu' ils aient aimé

IMPARFAIT

Que j' aimasse
Que tu aimasses
Qu' il aimât
Que nous aimassions
Que vous aimassiez
Qu' ils aimassent

PLUS-QUE-PARFAIT

Que j' eusse aimé
Que tu eusses aimé
Qu' il eût aimé
Que nous eussions aimé
Que vous eussiez aimé
Qu' ils eussent aimé

IMPÉRATIF

PRÉSENT PASSÉ

Aime Aie aimé
Aimons Ayons aimé
Aimez Ayez aimé

INFINITIF

PRÉSENT

Aimer

PASSÉ

Avoir aimé

PARTICIPE

PRÉSENT

Aimant

PASSÉ

Aimé, ayant aimé

VERBE FINIR

INDICATIF

PRÉSENT

Je finis
Tu finis
Il finit
Nous finissons
Vous finissez
Ils finissent

IMPARFAIT

Je finissais
Tu finissais
Il finissait
Nous finissions
Vous finissiez
Ils finissaient

PASSÉ SIMPLE

Je finis
Tu finis
Il finit
Nous finîmes
Vous finîtes
Ils finirent

FUTUR

Je finirai
Tu finiras
Il finira
Nous finirons
Vous finirez
Ils finiront

PASSÉ COMPOSÉ

J' ai fini
Tu as fini
Il a fini
Nous avons fini
Vous avez fini
Ils ont fini

PLUS-QUE-PARFAIT

J' avais fini
Tu avais fini
Il avait fini
Nous avions fini
Vous aviez fini
Ils avaient fini

PASSÉ ANTÉRIEUR

J' eus fini
Tu eus fini
Il eut fini
Nous eûmes fini
Vous eûtes fini
Ils eurent fini

FUTUR ANTÉRIEUR

J' aurai fini
Tu auras fini
Il aura fini
Nous aurons fini
Vous aurez fini
Ils auront fini

SUBJONCTIF

PRÉSENT

Que je finisse
Que tu finisses
Qu' il finisse
Que nous finissions
Que vous finissiez
Qu' ils finissent

IMPARFAIT

Que je finisse
Que tu finisses
Qu' il finît
Que nous finissions
Que vous finissiez
Qu' ils finissent

PASSÉ

Que j' aie fini
Que tu aies fini
Qu'il ait fini
Que nous ayons fini
Que vous ayez fini
Qu' ils aient fini

PLUS-QUE-PARFAIT

Que j' eusse fini
Que tu eusses fini
Qu' il eût fini
Que nous eussions fini
Que vous eussiez fini
Qu' ils eussent fini

CONDITIONNEL

PRÉSENT

Je finirais
Tu finirais
Il finirait
Nous finirions
Vous finiriez
Ils finiraient

PASSÉ 1re FORME

J' aurais fini
Tu aurais fini
Il aurait fini
Nous aurions fini
Vous auriez fini
Ils auraient fini

PASSÉ 2e FORME

J' eusse fini
Tu eusses fini
Il eût fini
Nous eussions fini
Vous eussiez fini
Ils eussent fini

IMPÉRATIF

PRÉSENT	PASSÉ
Finis	Aie fini
Finissons	Ayons fini
Finissez	Ayez fini

INFINITIF

PRÉSENT

Finir

PASSÉ

Avoir fini

PARTICIPE

PRÉSENT

Finissant

PASSÉ

Fini, ayant fini

VERBE PASSIF ÊTRE AIMÉ

INDICATIF

PRÉSENT

Je	suis	aimé
Tu	es	aimé
Il	est	aimé
Nous	sommes	aimés
Vous	êtes	aimés
Ils	sont	aimés

PASSÉ COMPOSÉ

J'	ai	été aimé
Tu	as	été aimé
Il	a	été aimé
Nous	avons	été aimés
Vous	avez	été aimés
Ils	ont	été aimés

IMPARFAIT

J'	étais	aimé
Tu	étais	aimé
Il	était	aimé
Nous	étions	aimés
Vous	étiez	aimés
Ils	étaient	aimés

PLUS-QUE-PARFAIT

J'	avais	été aimé
Tu	avais	été aimé
Il	avait	été aimé
Nous	avions	été aimés
Vous	aviez	été aimés
Ils	avaient	été aimés

PASSÉ SIMPLE

Je	fus	aimé
Tu	fus	aimé
Il	fut	aimé
Nous	fûmes	aimés
Vous	fûtes	aimés
Ils	furent	aimés

PASSÉ ANTÉRIEUR

J'	eus	été aimé
Tu	eus	été aimé
Il	eut	été aimé
Nous	eûmes	été aimés
Vous	eûtes	été aimés
Ils	eurent	été aimés

FUTUR

Je	serai	aimé
Tu	seras	aimé
Il	sera	aimé
Nous	serons	aimés
Vous	serez	aimés
Ils	seront	aimés

FUTUR ANTÉRIEUR

J'	aurai	été aimé
Tu	auras	été aimé
Il	aura	été aimé
Nous	aurons	été aimés
Vous	aurez	été aimés
Ils	auront	été aimés

CONDITIONNEL

PRÉSENT

Je	serais	aimé
Tu	serais	aimé
Il	serait	aimé
Nous	serions	aimés
Vous	seriez	aimés
Ils	seraient	aimés

PASSÉ 1re FORME

J'	aurais	été aimé
Tu	aurais	été aimé
Il	aurait	été aimé
Nous	aurions	été aimés
Vous	auriez	été aimés
Ils	auraient	été aimés

PASSÉ 2e FORME

J'	eusse	été aimé
Tu	eusses	été aimé
Il	eût	été aimé
Nous	eussions	été aimés
Vous	eussiez	été aimés
Ils	eussent	été aimés

IMPÉRATIF

PRÉSENT		PASSÉ	
Sois	aimé	Aie	été aimé
Soyons	aimés	Ayons	été aimés
Soyez	aimés	Ayez	été aimés

SUBJONCTIF

PRÉSENT

Que je	sois	aimé
Que tu	sois	aimé
Qu' il	soit	aimé
Que nous	soyons	aimés
Que vous	soyez	aimés
Qu' ils	soient	aimés

PASSÉ

Que j'	aie	été aimé
Que tu	aies	été aimé
Qu' il	ait	été aimé
Que nous	ayons	été aimés
Que vous	ayez	été aimés
Qu' ils	aient	été aimés

IMPARFAIT

Que je	fusse	aimé
Que tu	fusses	aimé
Qu' il	fût	aimé
Que nous	fussions	aimés
Que vous	fussiez	aimés
Qu' ils	fussent	aimés

PLUS-QUE-PARFAIT

Que j'	eusse	été aimé
Que tu	eusses	été aimé
Qu' il	eût	été aimé
Que nous	eussions	été aimés
Que vous	eussiez	été aimés
Qu' ils	eussent	été aimés

INFINITIF

PRÉSENT

Être aimé

PASSÉ

Avoir été aimé

PARTICIPE

PRÉSENT

Étant aimé

PASSÉ

Été aimé
Ayant été aimé

VERBE PRONOMINAL SE FLATTER

INDICATIF

PRÉSENT

Je	me	flatte
Tu	te	flattes
Il	se	flatte
Nous	nous	flattons
Vous	vous	flattez
Ils	se	flattent

PASSÉ COMPOSÉ

Je	me	suis	flatté
Tu	t'	es	flatté
Il	s'	est	flatté
Nous	nous	sommes	flattés
Vous	vous	êtes	flattés
Ils	se	sont	flattés

IMPARFAIT

Je	me	flattais
Tu	te	flattais
Il	se	flattait
Nous	nous	flattions
Vous	vous	flattiez
Ils	se	flattaient

PLUS-QUE-PARFAIT

Je	m'	étais	flatté
Tu	t'	étais	flatté
Il	s'	était	flatté
Nous	nous	étions	flattés
Vous	vous	étiez	flattés
Ils	s'	étaient	flattés

PASSÉ SIMPLE

Je	me	flattai
Tu	te	flattas
Il	se	flatta
Nous	nous	flattâmes
Vous	vous	flattâtes
Ils	se	flattèrent

PASSÉ ANTÉRIEUR

Je	me	fus	flatté
Tu	te	fus	flatté
Il	se	fut	flatté
Nous	nous	fûmes	flattés
Vous	vous	fûtes	flattés
Ils	se	furent	flattés

FUTUR

Je	me	flatterai
Tu	te	flatteras
Il	se	flattera
Nous	nous	flatterons
Vous	vous	flatterez
Ils	se	flatteront

FUTUR ANTÉRIEUR

Je	me	serai	flatté
Tu	te	seras	flatté
Il	se	sera	flatté
Nous	nous	serons	flattés
Vous	vous	serez	flattés
Ils	se	seront	flattés

CONDITIONNEL

PRÉSENT

Je	me	flatterais
Tu	te	flatterais
Il	se	flatterait
Nous	nous	flatterions
Vous	vous	flatteriez
Ils	se	flatteraient

PASSÉ 1re FORME

Je	me	serais	flatté
Tu	te	serais	flatté
Il	se	serait	flatté
Nous	nous	serions	flattés
Vous	vous	seriez	flattés
Ils	se	seraient	flattés

PASSÉ 2e FORME

Je	me	fusse	flatté
Tu	te	fusses	flatté
Il	se	fût	flatté
Nous	nous	fussions	flattés
Vous	vous	fussiez	flattés
Ils	se	fussent	flattés

IMPÉRATIF

PRÉSENT

Flatte-toi
Flattons-nous
Flattez-vous

SUBJONCTIF

PRÉSENT

Que je	me	flatte
Que tu	te	flattes
Qu' il	se	flatte
Que nous	nous	flattions
Que vous	vous	flattiez
Qu' ils	se	flattent

PASSÉ

Que je	me	sois	flatté
Que tu	te	sois	flatté
Qu' il	se	soit	flatté
Que nous	nous	soyons	flattés
Que vous	vous	soyez	flattés
Qu' ils	se	soient	flattés

IMPARFAIT

Que je	me	flattasse
Que tu	te	flattasses
Qu' il	se	flattât
Que nous	nous	flattassions
Que vous	vous	flattassiez
Qu' ils	se	flattassent

PLUS-QUE-PARFAIT

Que je	me	fusse	flatté
Que tu	te	fusses	flatté
Qu' il	se	fût	flatté
Que nous	nous	fussions	flattés
Que vous	vous	fussiez	flattés
Qu' ils	se	fussent	flattés

INFINITIF

PRÉSENT

Se flatter

PASSÉ

S'être flatté

PARTICIPE

PRÉSENT

Se flattant

PASSÉ

S'étant flatté

VERBES EN -ER (PARTICULARITÉS)

1. Verbes en -CER, -GER :

Les verbes en **cer** prennent une cédille devant **a** et **o.**
Les verbes en **ger** prennent un **e** après le **g** devant **a** et **o.**

Inf. prés.	***placer***	***manger***
Ind. prés.	Je place, il place.	Je mange, il mange.
— —	Nous pla**ç**ons, ils placent.	Nous mang**e**ons, ils mangent.
— *imparf.*	Je pla**ç**ais, nous placions.	Je mang**e**ais, nous mangions.
— *futur*	Je placerai, nous placerons.	Je mangerai, nous mangerons.
Participes	Pla**ç**ant, placé.	Mang**e**ant; mangé.

2. Verbes en -YER, -AYER :

Les verbes en ***-yer*** changent l'**y** en ***i*** devant un **e *muet.***
Les verbes en ***-ayer*** peuvent conserver l'**y** devant un **e *muet.***

Inf. prés.	***nettoyer***	***payer***
Ind. prés.	Je netto**ie,** il netto**ie.**	Je pa**y**e (ou pa**i**e), il pa**y**e (ou pa**i**e).
— —	Nous nettoyons, ils netto**ient**.	Nous payons, ils pa**y**ent (ou pa**i**ent).
— *imparf.*	Je nettoyais, nous nettoyions.	Je payais, nous payions.
— *futur*	Je netto**ie**rai, nous netto**ie**rons.	Je pa**y**erai (ou pa**i**erai).
Participes	Nettoyant; nettoyé.	Payant; payé.

3. Verbes en -ELER :

Les verbes en ***-eler*** redoublent le ***l*** devant une syllabe contenant un **e *muet,*** sauf : ***celer, ciseler, congeler, déceler, démanteler, écarteler, geler, marteler, modeler, peler,*** qui changent l'**e *muet*** de l'avant-dernière syllabe de l'infinitif en **è *ouvert.***

Inf. prés.	***appeler***	***peler***
Ind. prés.	J'appe**lle,** il appe**lle.**	Je p**è**le, il p**è**le.
— —	Nous appelons, ils appe**ll**ent.	Nous pelons, ils p**è**lent.
— *imparf.*	J'appelais, nous appelions.	Je pelais, nous pelions.
— *futur*	J'appe**ll**erai, nous appe**ll**erons.	Je p**è**lerai, nous p**è**lerons.
Participes	Appelant; appelé.	Pelant; pelé.

4. Verbes en -ETER :

Les verbes en **-eter** redoublent le **t** devant une syllabe contenant un **e *muet,*** sauf : ***acheter, corseter, crocheter, fureter, haleter, racheter,*** qui changent l'**e *muet*** de l'avant-dernière syllabe de l'infinitif en **è *ouvert.***

Inf. prés.	***jeter***	***acheter***
Ind. prés.	Je je**tte,** tu je**ttes,** il je**tte.**	J'ach**è**te, il ach**è**te.
— —	Nous jetons, ils je**tt**ent.	Nous achetons, ils ach**è**tent.
— *imparf.*	Je jetais, nous jetions.	J'achetais, nous achetions.
— *futur*	Je je**tterai**, nous je**tt**erons.	J'ach**è**terai, nous ach**è**terons.
Participes	Jetant; jeté.	Achetant; acheté.

5. Verbes dont l'avant-dernière syllabe contient un e *muet* ou un é *fermé*.

Ces verbes changent l'**e *muet*** ou l'**é** en **è** quand la syllabe suivante contient un **e *muet***, sauf au ***futur*** et au ***conditionnel*** des verbes dont l'avant-dernière syllabe contient un **é**.

Inf. prés.	***semer***	***révéler***
Ind. prés.	Je sème, il sème.	Je rév**èle**, il rév**èle**.
— —	Nous semons, ils sèment.	Nous révélons, ils rév**èle**nt.
— *imparf.*	Je semais, nous semions.	Je révélais, nous révélions.
— *futur*	Je sèmerai, nous sèmerons.	Je rév**éle**rai, nous rév**éle**rons.
Participes	Semant; semé.	Révélant; révélé.

6. Verbes irréguliers du 1er groupe :

Inf. prés.	***aller***	**envoyer**
Ind. prés.	Je vais, tu vas, il va.	J'envoie, tu envoies.
— —	Nous allons, vous allez, ils vont.	Nous envoyons, ils envoient.
— *imparf.*	J'allais, tu allais, nous allions.	J'envoyais, nous envoyions.
— *pas. s.*	J'allai, tu allas, nous allâmes.	J'envoyai, nous envoyâmes.
— *futur*	J'irai, tu iras, nous irons.	J'enverrai, nous enverrons.
Subj. prés.	Que j'aille, que tu ailles.	Que j'envoie, que nous envoyions.
— —	Que nous allions, qu'ils aillent.	Qu'il envoie, qu'ils envoient.
Impératif	Va, allons, allez.	Envoie, envoyons, envoyez.
Part. prés.	Allant.	Envoyant.
Part. passé	Allé, étant allé.	Envoyé, ayant envoyé.

7. L'**impératif** des verbes en **-er** prend un **s** devant **en** et **y** : *parle***s***-en, va***s***-y.*

VERBES EN -IR (PARTICULARITÉS)

Trois verbes du 2e groupe ont des formes particulières :

Haïr garde le tréma à toutes les formes, ***sauf aux trois personnes du singulier de l'indicatif présent*** et à la ***2e personne du singulier de l'impératif.***

Fleurir, au sens figuré de *prospérer,* forme son ***imparfait*** et son ***participe présent*** sur le radical ***flor-***.

Bénir dont le participe passé est *béni.*

Inf. prés.	***haïr***	***fleurir*** *(figuré)*	**bénir**
Ind. prés.	Je hais	Je fleuris	Conjugaison régulière
— —	Tu hais	Tu fleuris	
— —	Il hait	Il fleurit	
— —	Nous haïssons	Nous fleurissons	
— —	Vous haïssez	Vous fleurissez	
— —	Ils haïssent	Ils fleurissent	
— *imparf.*	Je haïssais	Je **florissais**	
— *Pas. s.*	Je haïs	Je fleuris	
— *futur*	Je haïrai	Je fleurirai	Au *part. passé* : **béni.**
Subj. prés.	Que je haïsse	Que je fleurisse	Mais on écrit : eau bén**ite**
Impératif	Hais	Fleuris	et pain bén**it.**
—	Haïssons, haïssez	Fleurissons, fleurissez	
Part. prés.	Haïssant	**Florissant**	
Part. passé	Haï	Fleuri	

CONJUGAISONS DU 3e GROUPE

Ex. 6e : p. 12, p. 98 à 111. — *Ex. 5e* : p. 78. — *Ex. 4e-3e* : p. 91.

165. Caractéristiques de la 3e conjugaison.

La troisième conjugaison comprend un petit nombre de verbes, mais ceux-ci sont très usuels; aucun verbe nouvellement formé ne se rattache à un des types de la troisième conjugaison.

Les verbes de la 3e conjugaison présentent de nombreuses irrégularités.

1. Des modifications du radical interviennent au cours de la conjugaison :

*Je **reç**ois, nous **recev**ons; je **meur**s, nous **mour**ons.*

2. Le passé simple et le participe passé présentent de nombreuses formes :

*Je con**duisis**, con**duit**; je **vis**, **vu**; je re**çus**, re**çu**.*

3. L'indicatif présent et l'impératif ont des terminaisons diverses :

*Je pren**ds**, il pren**d*** (impératif *pren**ds***); *je pein**s**, il pein**t*** (impératif *pein**s***); *je sai**s**, il sai**t*** (impératif *sa**che***).

4. Les terminaisons ont les mêmes formes pour tous les verbes à l'indicatif imparfait et futur, au conditionnel présent, au participe présent.

*Je pren**ais**, il ven**ait**, il sau**ra**, il offri**ra**.*

5. Le subjonctif imparfait est toujours formé à partir du passé simple :

*Je pris, que je **prisse**; j'aperçus, que j'**aperçusse**.*

6. Le présent et le passé simple de l'indicatif peuvent se confondre aux trois personnes du singulier :

*Je **fuis**, tu **fuis**, il **fuit**. Je **ris**, tu **ris**, il **rit**.*

7. L'impératif des verbes de la 3e conjugaison terminé par un **e** muet prend un **s** devant ***en*** et ***y*** :

*Cueille**s**-en quelques-unes.*

VERBE OFFRIR

INDICATIF

PRÉSENT

J'	offre
Tu	offres
Il	offre
Nous	offrons
Vous	offrez
Ils	offrent

PASSÉ COMPOSÉ

J'	ai	offert
Tu	as	offert
Il	a	offert
Nous	avons	offert
Vous	avez	offert
Ils	ont	offert

IMPARFAIT

J'	offrais
Tu	offrais
Il	offrait
Nous	offrions
Vous	offriez
Ils	offraient

PLUS-QUE-PARFAIT

J'	avais	offert
Tu	avais	offert
Il	avait	offert
Nous	avions	offert
Vous	aviez	offert
Ils	avaient	offert

PASSÉ SIMPLE

J'	offris
Tu	offris
Il	offrit
Nous	offrîmes
Vous	offrîtes
Ils	offrirent

PASSÉ ANTÉRIEUR

J'	eus	offert
Tu	eus	offert
Il	eut	offert
Nous	eûmes	offert
Vous	eûtes	offert
Ils	eurent	offert

FUTUR

J'	offrirai
Tu	offriras
Il	offrira
Nous	offrirons
Vous	offrirez
Ils	offriront

FUTUR ANTÉRIEUR

J'	aurai	offert
Tu	auras	offert
Il	aura	offert
Nous	aurons	offert
Vous	aurez	offert
Ils	auront	offert

SUBJONCTIF

PRÉSENT

Que j'	offre
Que tu	offres
Qu' il	offre
Que nous	offrions
Que vous	offriez
Qu' ils	offrent

PASSÉ

Que j'	aie	offert
Que tu	aies	offert
Qu' il	ait	offert
Que nous	ayons	offert
Que vous	ayez	offert
Qu' ils	aient	offert

IMPARFAIT

Que j'	offrisse
Que tu	offrisses
Qu' il	offrît
Que nous	offrissions
Que vous	offrissiez
Qu' ils	offrissent

PLUS-QUE-PARFAIT

Que j'	eusse	offert
Que tu	eusses	offert
Qu' il	eût	offert
Que nous	eussions	offert
Que vous	eussiez	offert
Qu' ils	eussent	offert

CONDITIONNEL

PRÉSENT

J'	offrirais
Tu	offrirais
Il	offrirait
Nous	offririons
Vous	offririez
Ils	offriraient

PASSÉ 1re FORME

J'	aurais	offert
Tu	aurais	offert
Il	aurait	offert
Nous	aurions	offert
Vous	auriez	offert
Ils	auraient	offert

PASSÉ 2e FORME

J'	eusse	offert
Tu	eusses	offert
Il	eût	offert
Nous	eussions	offert
Vous	eussiez	offert
Ils	eussent	offert

IMPÉRATIF

PRÉSENT	PASSÉ
Offre	Aie offert
Offrons	Ayons offert
Offrez	Ayez offert

INFINITIF

PRÉSENT

Offrir

PASSÉ

Avoir offert

PARTICIPE

PRÉSENT

Offrant

PASSÉ

Offert, ayant offert.

VERBE RECEVOIR

INDICATIF

PRÉSENT

Je reçois
Tu reçois
Il reçoit
Nous recevons
Vous recevez
Ils reçoivent

IMPARFAIT

Je recevais
Tu recevais
Il recevait
Nous recevions
Vous receviez
Ils recevaient

PASSÉ SIMPLE

Je reçus
Tu reçus
Il reçut
Nous reçûmes
Vous reçûtes
Ils reçurent

FUTUR

Je recevrai
Tu recevras
Il recevra
Nous recevrons
Vous recevrez
Ils recevront

PASSÉ COMPOSÉ

J' ai reçu
Tu as reçu
Il a reçu
Nous avons reçu
Vous avez reçu
Ils ont reçu

PLUS-QUE-PARFAIT

J' avais reçu
Tu avais reçu
Il avait reçu
Nous avions reçu
Vous aviez reçu
Ils avaient reçu

PASSÉ ANTÉRIEUR

J' eus reçu
Tu eus reçu
Il eut reçu
Nous eûmes reçu
Vous eûtes reçu
Ils eurent reçu

FUTUR ANTÉRIEUR

J' aurai reçu
Tu auras reçu
Il aura reçu
Nous aurons reçu
Vous aurez reçu
Ils auront reçu

CONDITIONNEL

PRÉSENT

Je recevrais
Tu recevrais
Il recevrait
Nous recevrions
Vous recevriez
Ils recevraient

PASSÉ 1re FORME

J' aurais reçu
Tu aurais reçu
Il aurait reçu
Nous aurions reçu
Vous auriez reçu
Ils auraient reçu

PASSÉ 2e FORME

J' eusse reçu
Tu eusses reçu
Il eût reçu
Nous eussions reçu
Vous eussiez reçu
Ils eussent reçu

IMPÉRATIF

PRÉSENT	PASSÉ
Reçois	Aie reçu
Recevons	Ayons reçu
Recevez	Ayez reçu

SUBJONCTIF

PRÉSENT

Que je reçoive
Que tu reçoives
Qu' il reçoive
Que nous recevions
Que vous receviez
Qu' ils reçoivent

IMPARFAIT

Que je reçusse
Que tu reçusses
Qu' il reçût
Que nous reçussions
Que vous reçussiez
Qu' ils reçussent

PASSÉ

Que j' aie reçu
Que tu aies reçu
Qu' il ait reçu
Que nous ayons reçu
Que vous ayez reçu
Qu' ils aient reçu

PLUS-QUE-PARFAIT

Que j' eusse reçu
Que tu eusses reçu
Qu' il eût reçu
Que nous eussions reçu
Que vous eussiez reçu
Qu' ils eussent reçu

INFINITIF

PRÉSENT

Recevoir

PASSÉ

Avoir reçu

PARTICIPE

PRÉSENT

Recevant

PASSÉ

Reçu, ayant reçu

VERBE RENDRE

INDICATIF

PRÉSENT

Je rends
Tu rends
Il rend
Nous rendons
Vous rendez
Ils rendent

IMPARFAIT

Je rendais
Tu rendais
Il rendait
Nous rendions
Vous rendiez
Ils rendaient

PASSÉ SIMPLE

Je rendis
Tu rendis
Il rendit
Nous rendîmes
Vous rendîtes
Ils rendirent

FUTUR

Je rendrai
Tu rendras
Il rendra
Nous rendrons
Vous rendrez
Ils rendront

PASSÉ COMPOSÉ

J' ai rendu
Tu as rendu
Il a rendu
Nous avons rendu
Vous avez rendu
Ils ont rendu

PLUS-QUE-PARFAIT

J' avais rendu
Tu avais rendu
Il avait rendu
Nous avions rendu
Vous aviez rendu
Ils avaient rendu

PASSÉ ANTÉRIEUR

J' eus rendu
Tu eus rendu
Il eut rendu
Nous eûmes rendu
Vous eûtes rendu
Ils eurent rendu

FUTUR ANTÉRIEUR

J' aurai rendu
Tu auras rendu
Il aura rendu
Nous aurons rendu
Vous aurez rendu
Ils auront rendu

SUBJONCTIF

PRÉSENT

Que je rende
Que tu rendes
Qu' il rende
Que nous rendions
Que vous rendiez
Qu' ils rendent

IMPARFAIT

Que je rendisse
Que tu rendisses
Qu' il rendît
Que nous rendissions
Que vous rendissiez
Qu' ils rendissent

PASSÉ

Que j' aie rendu
Que tu aies rendu
Qu' il ait rendu
Que nous ayons rendu
Que vous ayez rendu
Qu' ils aient rendu

PLUS-QUE-PARFAIT

Que j' eusse rendu
Que tu eusses rendu
Qu' il eût rendu
Que nous eussions rendu
Que vous eussiez rendu
Qu' ils eussent rendu

CONDITIONNEL

PRÉSENT

Je rendrais
Tu rendrais
Il rendrait
Nous rendrions
Vous rendriez
Ils rendraient

PASSÉ 1re FORME

J' aurais rendu
Tu aurais rendu
Il aurait rendu
Nous aurions rendu
Vous auriez rendu
Ils auraient rendu

PASSÉ 2e FORME

J' eusse rendu
Tu eusses rendu
Il eût rendu
Nous eussions rendu
Vous eussiez rendu
Ils eussent rendu

IMPÉRATIF

PRÉSENT	PASSÉ
Rends	Aie rendu
Rendons	Ayons rendu
Rendez	Ayez rendu

INFINITIF

PRÉSENT

Rendre

PASSÉ

Avoir rendu

PARTICIPE

PRÉSENT

Rendant

PASSÉ

Rendu, ayant rendu

VERBES DU 3ᵉ GROUPE EN -IR

Inf. prés.	***ouvrir*** (1)	***assaillir*** (2)	***cueillir*** (3)
Ind. prés.	J'ouvre, tu ouvres	J'assaille, tu assailles	Je cueille, tu cueilles
— —	Il ouvre	Il assaille	Il cueille
— —	Nous ouvrons	Nous assaillons	Nous cueillons
— —	Ils ouvrent	Ils assaillent	Ils cueillent
— *imparf.*	J'ouvrais	J'assaillais	Je cueillais
— *pas. s.*	J'ouvris	J'assaillis	Je cueillis
— *futur*	J'ouvrirai	J'assaillirai	Je cueillerai
Cond. prés.	J'ouvrirais	J'assaillirais	Je cueillerais
Subj. prés.	Que j'ouvre	Que j'assaille	Que je cueille
— —	Qu'il ouvre	Qu'il assaille	Qu'il cueille
— —	Que nous ouvrions	Que nous assaillions	Que nous cueillions
— —	Qu'ils ouvrent	Qu'ils assaillent	Qu'ils cueillent
Impératif	Ouvre, ouvrons	Assaille, assaillons.	Cueille, cueillons
Participes	Ouvrant, ouvert	Assaillant, assailli	Cueillant, cueilli

(1) De même : *souffrir, couvrir.* — (2) De même : *défaillir, tressaillir.* — (3) Et ses composés.

Inf. prés.	***acquérir*** (1)	***servir*** (2)	***mentir*** (3)
Ind. prés.	J'acquiers, tu acquiers	Je sers, tu sers	Je mens, tu mens
— —	Il acquiert	Il sert	Il ment
— —	Nous acquérons	Nous servons	Nous mentons
— —	Ils acquièrent	Ils servent	Ils mentent
— *imparf.*	J'acquérais	Je servais	Je mentais
— *pas. s.*	J'acquis	Je servis	Je mentis
— *futur*	J'acquerrai	Je servirai	Je mentirai
Cond. prés.	J'acquerrais	Je servirais	Je mentirais
Subj. prés.	Que j'acquière	Que je serve	Que je mente
— —	Qu'il acquière	Qu'il serve	Qu'il mente
— —	Que nous acquérions	Que nous servions	Que nous mentions
— —	Qu'ils acquièrent	Qu'ils servent	Qu'ils mentent
Impératif	Acquiers, acquérons	Sers, servons	Mens, mentons
Participes	Acquérant, acquis	Servant, servi	Mentant, menti

(1) De même : *conquérir, requérir, s'enquérir.* — (2) Et ses composés. — (3) Et *sentir, se repentir* et leurs composés.

Inf. prés.	***tenir*** (1)	***dormir*** (2)	***fuir*** (3)
Ind. prés.	Je tiens, tu tiens	Je dors, tu dors	Je fuis, tu fuis
— —	Il tient	Il dort	Il fuit
— —	Nous tenons	Nous dormons	Nous fuyons
— —	Ils tiennent	Ils dorment	Ils fuient
— *imparf.*	Je tenais	Je dormais	Je fuyais
— *pas. s.*	Je tins, nous tînmes	Je dormis	Je fuis
— *futur*	Je tiendrai	Je dormirai	Je fuirai
Cond. prés.	Je tiendrais	Je dormirais	Je fuirais
Subj. prés.	Que je tienne	Que je dorme	Que je fuie
— —	Qu'il tienne	Qu'il dorme	Qu'il fuie
— —	Que nous tenions	Que nous dormions	Que nous fuyions
— —	Qu'ils tiennent	Qu'ils dorment	Qu'ils fuient
Impératif	Tiens, tenons	Dors, dormons	Fuis, fuyons
Participes	Tenant, tenu	Dormant, dormi	Fuyant, fui

(1) De même : *venir* et les composés. — (2) Et ses composés. — (3) De même : *s'enfuir.*

VERBES DU 3 e GROUPE EN -IR

Inf. prés.	***mourir***	***vêtir*** (1)	***courir*** (1)
Ind. prés.	Je meurs, tu meurs	Je vêts, tu vêts	Je cours, tu cours
— —	Il meurt	Il vêt	Il court
— —	Nous mourons	Nous vêtons	Nous courons
— —	Ils meurent	Ils vêtent	Ils courent
— *imparf.*	Je mourais	Je vêtais	Je courais
— *pas. s.*	Je mourus	Je vêtis	Je courus
— *futur*	Je mourrai	Je vêtirai	Je courrai
Cond. prés.	Je mourrais	Je vêtirais	Je courrais
Subj. prés.	Que je meure	Que je vête	Que je coure
— —	Qu'il meure	Qu'il vête	Qu'il coure
— —	Que nous mourions	Que nous vêtions	Que nous courions
— —	Qu'ils meurent	Qu'ils vêtent	Qu'ils courent
Impératif	Meurs, mourons	Vêts, vêtons	Cours, courons
Participes	Mourant, mort	Vêtant, vêtu	Courant, couru

(1) Et ses composés.

Inf. prés.	***partir*** (1)	***sortir*** (2)	***bouillir*** (3)
Ind. prés.	Je pars, tu pars	Je sors, tu sors	Je bous, tu bous
— —	Il part	Il sort	Il bout
— —	Nous partons	Nous sortons	Nous bouillons
— —	Ils partent	Ils sortent	Ils bouillent
— *imparf.*	Je partais	Je sortais	Je bouillais
— *pas. s.*	Je partis	Je sortis	Je bouillis
— *futur*	Je partirai	Je sortirai	Je bouillirai
Cond. prés.	Je partirais	Je sortirais	Je bouillirais
Subj. prés.	Que je parte	Que je sorte	Que je bouille
— —	Qu'il parte	Qu'il sorte	*Inusité.*
— —	Que nous partions	Que nous sortions	*Inusité.*
— —	Qu'ils partent	Qu'ils sortent	*Inusité.*
Impératif	Pars, partons	Sors, sortons	Bous, bouillons
Participes	Partant, parti	Sortant, sorti	Bouillant, bouilli

(1) Et ses composés, sauf *répartir*. — (2) Et ses composés, sauf *assortir*. — (3) Certains temps peu usités.

Inf. prés.	***faillir***	***gésir***	***saillir*** (dépasser)
Ind. prés.	*Inusité.*	Je gis, tu gis.	*Inusité.*
— —	*Inusité.*	Il gît	Il saille
— —	*Inusité.*	Nous gisons	*Inusité.*
— —	*Inusité.*	Ils gisent	*Inusité.*
— *imparf.*	*Inusité.*	Je gisais	Il saillait
— *pas. s.*	Je faillis	*Inusité.*	*Inusité.*
— *futur*	Je faillirai	*Inusité.*	Il saillera
Cond. prés.	Je faillirais	*Inusité.*	Il saillerait
Subj. prés.	*Inusité.*	*Inusité.*	*Inusité.*
— —	*Inusité.*	*Inusité.*	Qu'il saille
— —	*Inusité.*	*Inusité.*	*Inusité.*
— —	*Inusité.*	*Inusité.*	*Inusité.*
Impératif	*Inusité.*	*Inusité.*	*Inusité.*
Participes	*Inusité*, failli	Gisant, *Inusité.*	Saillant, sailli

Ces trois verbes sont défectifs.

VERBES DU 3e GROUPE EN -OIR

Inf. prés.	***décevoir*** (1)	***devoir***	***mouvoir*** (2)
Ind. prés.	Je déçois, tu déçois	Je dois, tu dois	Je meus, tu meus
— —	Il déçoit	Il doit	Il meut
— —	Nous décevons	Nous devons	Nous mouvons
— —	Ils déçoivent	Ils doivent	Ils meuvent
— *imparf.*	Je décevais	Je devais	Je mouvais
— *pas. s.*	Je déçus	Je dus	Je mus
— *futur*	Je décevrai	Je devrai	Je mouvrai
Cond. prés.	Je décevrais	Je devrais	Je mouvrais
Subj. prés.	Que je déçoive	Que je doive	Que je meuve
— —	Qu'il déçoive	Qu'il doive	Qu'il meuve
— —	Que nous décevions	Que nous devions	Que nous mouvions
— —	Qu'ils déçoivent	Qu'ils doivent	Qu'ils meuvent
Impératif	Déçois, décevons	Dois, devons	Meus, mouvons
Participes	Décevant, déçu	Devant; dû, due	Mouvant; mû, mue

(1) Et *percevoir, apercevoir, concevoir.* — (2) Et ses composés (mais les participes *ému* et *promu* n'ont pas d'accent circonflexe).

Inf. prés.	***savoir***	***vouloir***	***valoir*** (1)
Ind. prés.	Je sais, tu sais	Je veux, tu veux	Je vaux, tu vaux
— —	Il sait	Il veut	Il vaut
— —	Nous savons	Nous voulons	Nous valons
— —	Ils savent	Ils veulent	Ils valent
— *imparf.*	Je savais	Je voulais	Je valais
— *pas. s.*	Je sus	Je voulus	Je valus
— *futur*	Je saurai	Je voudrai	Je vaudrai
Cond. prés.	Je saurais	Je voudrais	Je vaudrais
Subj. prés.	Que je sache	Que je veuille	Que je vaille
— —	Qu'il sache	Qu'il veuille	Qu'il vaille
— —	Que nous sachions	Que nous voulions	Que nous valions
— —	Qu'ils sachent	Qu'ils veuillent	Qu'ils vaillent
Impératif	Sache, sachons	Veuille, veuillons	*Inusité.*
Participes	Sachant, su	Voulant, voulu	Valant, valu

(1) Et ses composés (mais *prévaloir,* au subjonctif présent, fait *que je prévale*).

Inf. prés.	***pouvoir***	***voir*** (1)	***prévoir*** (2)
Ind. prés.	Je peux, ou je puis	Je vois, tu vois	Je prévois, tu prévois
— —	Il peut	Il voit	Il prévoit
— —	Nous pouvons	Nous voyons	Nous prévoyons
— —	Ils peuvent	Ils voient	Ils prévoient
— *imparf.*	Je pouvais	Je voyais	Je prévoyais
— *pas. s.*	Je pus	Je vis	Je prévis
— *futur*	Je pourrai	Je verrai	Je prévoirai
Cond. prés.	Je pourrais	Je verrais	Je prévoirais
Subj. prés.	Que je puisse	Que je voie	Que je prévoie
— —	Qu'il puisse	Qu'il voie	Qu'il prévoie
— —	Que nous puissions	Que nous voyions	Que nous prévoyions
— —	Qu'ils puissent	Qu'ils voient	Qu'ils prévoient
Impératif	*Inusité.*	Vois, voyons	Prévois, prévoyons
Participes	Pouvant, pu	Voyant, vu	Prévoyant, prévu

(1) Et *revoir.* — (2) Et *pourvoir* (sauf au passé simple : *je pourvus*).

VERBES DU 3e GROUPE EN -OIR

Inf. prés.	***asseoir*** (1)		***surseoir***
Ind. prés.	J'assieds, tu assieds	J'assois, tu assois	Je sursois, tu sursois
— —	Il assied	Il assoit	Il sursoit
— —	Nous asseyons	Nous assoyons	Nous sursoyons
— —	Ils asseyent	Ils assoient	Ils sursoient
— *imparf.*	J'asseyais	J'assoyais	Je sursoyais
— *pas. s.*	J'assis	J'assis	Je sursis
— *futur*	J'assiérai, ou asseyerai	J'assoirai	Je surseoirai
Cond. prés.	J'assiérais, ou asseyerais	J'assoirais	Je surseoirais
Subj. prés.	Que j'asseye	Que j'assoie	Que je sursoie
— —	Qu'il asseye	Qu'il assoie	Qu'il sursoie
— —	Que nous asseyions	Que nous assoyions	Que nous sursoyions
— —	Qu'ils asseyent	Qu'ils assoient	Qu'ils sursoient
Impératif	Assieds, asseyons	Assois, assoyons	Sursois, sursoyons
Participes	Asseyant, assis	Assoyant, assis	Sursoyant, sursis

(1) Verbe le plus souvent employé à la forme pronominale, comme *rasseoir*.

Inf. prés.	***seoir***	***pleuvoir*** (1)	***falloir*** (1)
Ind. prés.	*Inusité.*	*Inusité.*	*Inusité.*
— —	Il sied	Il pleut	Il faut
— —	*Inusité.*	*Inusité.*	*Inusité.*
— —	Ils siéent	*Inusité.*	*Inusité.*
— *imparf.*	Il seyait, ils seyaient	Il pleuvait	Il fallait
— *pas. s.*	*Inusité.*	Il plut	Il fallut
— *futur*	Il siéra, ils siéront	Il pleuvra	Il faudra
Cond. prés.	Il siérait, ils siéraient	Il pleuvrait	Il faudrait
Subj. prés.	*Inusité.*	*Inusité.*	*Inusité.*
— —	Qu'il siée	Qu'il pleuve	Qu'il faille
— —	*Inusité.*	*Inusité.*	*Inusité.*
— —	Qu'ils siéent	*Inusité.*	*Inusité.*
Impératif	*Inusité.*	*Inusité.*	*Inusité.*
Participes	Seyant, séant, sis	Pleuvant, plu	*Inusité*, fallu

(1) Les verbes *pleuvoir* et *falloir* sont impersonnels. — *Chaloir*, seul. ind. prés. : *il chaut.*

Inf. prés.	***déchoir***	***choir***	***échoir*** (1)
Ind. prés.	Je déchois, tu déchois	Je chois, tu chois	*Inusité.*
— —	Il déchoit	Il choit	Il échoit
— —	*Inusité.*	*Inusité.*	*Inusité.*
— —	Ils déchoient	*Inusité.*	*Inusité.*
— *imparf.*	*Inusité.*	*Inusité.*	*Inusité.*
— *pas. s.*	Je déchus	Je chus	Il échut
— *futur*	*Inusité.*	Je choirai, ou cherrai	Il écherra
Cond. prés.	*Inusité.*	Je choirais, ou cherrais	*Inusité.*
Subj. prés.	Que je déchoie	*Inusité.*	*Inusité.*
— —	Que tu déchoies	*Inusité.*	*Inusité.*
— —	Qu'il déchoie	*Inusité.*	*Inusité.*
— —	Qu'ils déchoient	*Inusité.*	*Inusité.*
Impératif	*Inusité.*	*Inusité.*	*Inusité.*
Participes	*Inusité*, déchu	*Inusité*, chu	Echéant, échu.

(1) Le verbe *échoir* n'est employé qu'à la 3e personne.

VERBES DU 3ᵉ GROUPE EN -RE

Inf. prés.	***tendre*** (1)	***vaincre***	***battre***
Ind. prés.	Je tends, tu tends	Je vaincs, tu vaincs	Je bats, tu bats
— —	Il tend	Il vainc	Il bat
— —	Nous tendons	Nous vainquons	Nous battons
— —	Ils tendent	Ils vainquent	Ils battent
— *imparf.*	Je tendais	Je vainquais	Je battais
— *pas. s.*	Je tendis	Je vainquis	Je battis
— *futur*	Je tendrai	Je vaincrai	Je battrai
Cond. prés.	Je tendrais	Je vaincrais	Je battrais
Subj. prés.	Que je tende	Que je vainque	Que je batte
— —	Qu'il tende	Qu'il vainque	Qu'il batte
— —	Que nous tendions	Que nous vainquions	Que nous battions
— —	Qu'ils tendent	Qu'ils vainquent	Qu'ils battent
Impératif	Tends, tendons	Vaincs, vainquons	Bats, battons
Participes	Tendant, tendu	Vainquant, vaincu	Battant, battu

(1) De même : *épandre, défendre, descendre, fendre, fondre, mordre, pendre, perdre, répondre, rompre* (mais : *il rompt*), *tondre, vendre* et leurs composés.

Inf. prés.	***mettre*** (1)	***prendre*** (1)	***moudre***
Ind. prés.	Je mets, tu mets	Je prends, tu prends	Je mouds, tu mouds
— —	Il met	Il prend	Il moud
— —	Nous mettons	Nous prenons	Nous moulons
— —	Ils mettent	Ils prennent	Ils moulent
— *imparf.*	Je mettais	Je prenais	Je moulais
— *pas. s.*	Je mis	Je pris	Je moulus
— *futur*	Je mettrai	Je prendrai	Je moudrai
Cond. prés.	Je mettrais	Je prendrais	Je moudrais
Subj. prés.	Que je mette	Que je prenne	Que je moule
— —	Qu'il mette	Qu'il prenne	Qu'il moule
— —	Que nous mettions	Que nous prenions	Que nous moulions
— —	Qu'ils mettent	Qu'ils prennent	Qu'ils moulent
Impératif	Mets, mettons	Prends, prenons	Mouds, moulons
Participes	Mettant, mis	Prenant, pris	Moulant, moulu

(1) Et ses composés.

Inf. prés.	***coudre*** (1)	***absoudre*** (2)	***résoudre***
Ind. prés.	Je couds, tu couds	J'absous, tu absous	Je résous, tu résous
— —	Il coud	Il absout	Il résout
— —	Nous cousons	Nous absolvons	Nous résolvons
— —	Ils cousent	Ils absolvent	Ils résolvent
— *imparf.*	Je cousais	J'absolvais	Je résolvais
— *pas. s.*	Je cousis	*Inusité.*	Je résolus
— *futur*	Je coudrai	J'absoudrai	Je résoudrai
Cond. prés.	Je coudrais	J'absoudrais	Je résoudrais
Subj. prés.	Que je couse	Que j'absolve	Que je résolve
— —	Qu'il couse	Qu'il absolve	Qu'il résolve
— —	Que nous cousions	Que nous absolvions	Que nous résolvions
— —	Qu'ils cousent	Qu'ils absolvent	Qu'ils résolvent
Impératif	Couds, cousons	Absous, absolvons	Résous, résolvons
Participes	Cousant, cousu	Absolvant, absous, -te	Résolvant, résolu

(1) Et ses composés. — (2) De même : *dissoudre.*

VERBES DU 3e GROUPE EN -RE

Inf. prés.	**craindre** (1)	**suivre** (2)	**vivre** (3)
Ind. prés.	Je crains, tu crains	Je suis, tu suis	Je vis, tu vis
— —	Il craint	Il suit	Il vit
— —	Nous craignons	Nous suivons	Nous vivons
— —	Ils craignent	Ils suivent	Ils vivent
— imparf.	Je craignais	Je suivais	Je vivais
— pas. s.	Je craignis	Je suivis	Je vécus
— futur	Je craindrai	Je suivrai	Je vivrai
Cond. prés.	Je craindrais	Je suivrais	Je vivrais
Subj. prés.	Que je craigne	Que je suive	Que je vive
— —	Qu'il craigne	Qu'il suive	Qu'il vive
— —	Que nous craignions	Que nous suivions	Que nous vivions
— —	Qu'ils craignent	Qu'ils suivent	Qu'ils vivent
Impératif	Crains, craignons	Suis, suivons	Vis, vivons
Participes	Craignant, craint	Suivant, suivi	Vivant, vécu

(1) De même : *astreindre, atteindre, ceindre, contraindre, enfreindre, éteindre, feindre, geindre, joindre, peindre, plaindre, teindre* et leurs composés. — (2) (3) Et leurs composés.

Inf. prés.	**paraître** (1)	**naître**	**croître** (2)
Ind. prés.	Je parais, tu parais	Je nais, tu nais	Je croîs, tu croîs
— —	Il paraît	Il naît	Il croît
— —	Nous paraissons	Nous naissons	Nous croissons
— —	Ils paraissent	Ils naissent	Ils croissent
— imparf.	Je paraissais	Je naissais	Je croissais
— pas. s.	Je parus	Je naquis	Je crûs
— futur	Je paraîtrai	Je naîtrai	Je croîtrai
Cond. prés.	Je paraîtrais	Je naîtrais	Je croîtrais
Subj. prés.	Que je paraisse	Que je naisse	Que je croisse
— —	Qu'il paraisse	Qu'il naisse	Qu'il croisse
— —	Que nous paraissions	Que nous naissions	Que nous croissions
— —	Qu'ils paraissent	Qu'ils naissent	Qu'ils croissent
Impératif	Parais, paraissons	Nais, naissons	Croîs, croissons
Participes	Paraissant, paru	Naissant, né	Croissant, crû

(1) De même *connaître* et les composés. — (2) Et ses composés, mais *accru* sans accent.

Inf. prés.	**rire** (1)	**conclure** (2)	**nuire** (3)
Ind. prés.	Je ris, tu ris	Je conclus, tu conclus	Je nuis, tu nuis
— —	Il rit	Il conclut	Il nuit
— —	Nous rions	Nous concluons	Nous nuisons
— —	Ils rient	Ils concluent	Ils nuisent
— imparf.	Je riais	Je concluais	Je nuisais
— pas. s.	Je ris	Je conclus	Je nuisis
— futur	Je rirai	Je conclurai	Je nuirai
Cond. prés.	Je rirais	Je conclurais	Je nuirais
Subj. prés.	Que je rie	Que je conclue	Que je nuise
— —	Qu'il rie	Qu'il conclue	Qu'il nuise
— —	Que nous riions	Que nous concluions	Que nous nuisions
— —	Qu'ils rient	Qu'ils concluent	Qu'ils nuisent
Impératif	Ris, rions	Conclus, concluons	Nuis, nuisons
Participes	Riant, ri	Concluant, conclu	Nuisant, nui

(1) Et : *sourire*. — (2) Et : *exclure* et *inclure* (part. passé *inclus*) — (3) De même : *luire* et ses composés.

VERBES DU 3e GROUPE EN -RE

Inf. prés.	**conduire** (1)	**écrire**	**croire**
Ind. prés.	Je conduis, tu conduis	J'écris, tu écris	Je crois, tu crois
— —	Il conduit	Il écrit	Il croit
— —	Nous conduisons	Nous écrivons	Nous croyons
— —	Ils conduisent	Ils écrivent	Ils croient
— *imparf.*	Je conduisais	J'écrivais	Je croyais
— *pas. s.*	Je conduisis	J'écrivis	Je crus
— *futur*	Je conduirai	J'écrirai	Je croirai
Cond. prés.	Je conduirais	J'écrirais	Je croirais
Subj. prés.	Que je conduise	Que j'écrive	Que je croie
— —	Qu'il conduise	Qu'il écrive	Qu'il croie
— —	Que nous conduisions	Que nous écrivions	Que nous croyions
— —	Qu'ils conduisent	Qu'ils écrivent	Qu'ils croient
Impératif	Conduis, conduisons	Ecris, écrivons	Crois, croyons
Participes	Conduisant, conduit	Ecrivant, écrit	Croyant, cru

(1) De même : *construire, reconstruire, instruire, cuire* et *détruire* et les verbes se terminant par *-duire.*

Inf. prés.	**suffire**	**dire** (1)	**lire** (2)
Ind. prés.	Je suffis, tu suffis	Je dis, tu dis	Je lis, tu lis
— —	Il suffit	Il dit	Il lit
— —	Nous suffisons	Nous disons, v. dites	Nous lisons
— —	Ils suffisent	Ils disent	Ils lisent
— *imparf.*	Je suffisais	Je disais	Je lisais
— *pas. s.*	Je suffis	Je dis	Je lus
— *futur*	Je suffirai	Je dirai	Je lirai
Cond. prés.	Je suffirais	Je dirais	Je lirais
Subj. prés.	Que je suffise	Que je dise	Que je lise
— —	Qu'il suffise	Qu'il dise	Qu'il lise
— —	Que nous suffisions	Que nous disions	Que nous lisions
— —	Qu'ils suffisent	Qu'ils disent	Qu'ils lisent
Impératif	Suffis, suffisons	Dis, disons, dites	Lis, lisons, lisez
Participes	Suffisant, suffi	Disant, dit	Lisant, lu

(1) De même : *confire* et ses composés. Les composés de *dire*, sauf *maudire* (2e groupe), se conjuguent sur *dire*, sauf à la 2e personne pluriel indicatif présent : *vous contredisez*, mais : *vous redites.* — (2) Et ses composés.

Inf. prés.	**boire**	**taire** (1)	**faire** (2)
Ind. prés.	Je bois, tu bois	Je tais, tu tais	Je fais, tu fais
— —	Il boit	Il tait	Il fait
— —	Nous buvons	Nous taisons	Nous faisons, v. faites
— —	Ils boivent	Ils taisent	Ils font
— *imparf.*	Je buvais	Je taisais	Je faisais
— *pas. s.*	Je bus	je tus	Je fis
— *futur*	Je boirai	Je tairai	Je ferai
Cond. prés.	Je boirais	Je tairais	Je ferais
Subj. prés.	Que je boive	Que je taise	Que je fasse
— —	Qu'il boive	Qu'il taise	Qu'il fasse
— —	Que nous buvions	Que nous taisions	Que nous fassions
— —	Qu'ils boivent	Qu'ils taisent	Qu'ils fassent
Impératif	Bois, buvons	Tais, taisons	Fais, faisons, faites
Participes	Buvant, bu	Taisant, tu	Faisant, fait

(1) De même : *plaire* et ses composés. — (2) Et ses composés.

VERBES DU 3ᵉ GROUPE EN -RE

Inf. prés.	***extraire*** (1)	***repaître*** (2)	***sourdre***
Ind. prés.	J'extrais, tu extrais	Je repais, tu repais	*Inusité.*
— —	Il extrait	Il repaît	Il sourd
— —	Nous extrayons	Nous repaissons	*Inusité.*
— —	Ils extraient	Ils repaissent	Ils sourdent
— *imparf.*	J'extrayais	Je repaissais	*Inusité.*
— *pas. s.*	*Inusité.*	Je repus	*Inusité.*
— *futur*	J'extrairai	Je repaîtrai	*Inusité.*
Cond. prés.	J'extrairais	Je repaîtrais	*Inusité.*
Subj. prés.	Que j'extraie	Que je repaisse	*Inusité.*
— —	Qu'il extraie	Qu'il repaisse	*Inusité.*
— —	Que nous extrayions	Que nous repaissions	*Inusité.*
— —	Qu'ils extraient	Qu'ils repaissent	*Inusité.*
Impératif	Extrais, extrayons	Repais, repaissons	*Inusité.*
Participes	Extrayant, extrait	Repaissant, repu	*Inusité.*

(1) De même : *traire, abstraire, braire* (usité seulement aux 3ᵉ pers. du sing. et du pluriel), *soustraire*. — (2) De même : *paître*, défectif (pas de passé simple ni de participe passé).

Inf. prés.	***oindre***	***poindre*** (1)	***frire*** (2)
Ind. prés.	J'oins, tu oins	*Inusité*	Je fris, tu fris
— —	Il oint	Il point	Il frit
— —	Nous oignons	*Inusité.*	*Pas de*
— —	Ils oignent	*Inusité.*	*pluriel.*
— *imparf.*	J'oignais	Il poignait	*Inusité.*
— *pas. s.*	J'oignis	Il poignit	*Inusité.*
— *futur*	J'oindrai	Il poindra	Je frirai
Cond. prés.	J'oindrais	Il poindrait	Je frirais
Subj. prés.	Que j'oigne	*Inusité.*	*Inusité.*
— —	Qu'il oigne	Qu'il poigne	*Inusité.*
— —	Que nous oignions	*Inusité.*	*Inusité.*
— —	Qu'ils oignent	*Inusité.*	*Inusité.*
Impératif	Oins, oignez	*Inusité.*	Fris, *Inusité.*
Participes	Oignant, oint	Poignant, *Inusité.*	*Inusité*, frit

(1) Le verbe *poindre* ne se conjugue qu'à la 3ᵉ personne du singulier. — (2) Le verbe *frire* est défectif.

Inf. prés.	***clore***	***éclore***	***enclore***
Ind. prés.	Je clos, tu clos	*Inusité.*	J'enclos, tu enclos
— —	Il clôt	Il éclôt	Il enclôt
— —	*Pas de*	*Inusité.*	*Pas de*
— —	*pluriel.*	Ils éclosent	*pluriel.*
— *imparf.*	*Inusité.*	*Inusité.*	*Inusité.*
— *pas. s.*	*Inusité.*	*Inusité.*	*Inusité.*
— *futur*	Je clorai	Il éclora, ils écloront	J'enclorai
Cond. prés.	Je clorais	Il éclorait, ils écloraient	J'enclorais
Subj. prés.	Que je close	*Inusité.*	Que j'enclose
— —	Qu'il close	Qu'il éclose	Qu'il enclose
— —	Que nous closions	*Inusité.*	Que nous enclosions
— —	Qu'ils closent	Qu'ils éclosent	Qu'ils enclosent
Impératif	*Inusité.*	*Inusité.*	*Inusité.*
Participes	*Inusité*, clos	*Inusité*, éclos	*Inusité*, enclos.

LE VERBE : MODES ET TEMPS

Ex. 6ᵉ : p. 98 et 104.
Ex. 5ᵉ : p. 80.
Ex. 4ᵉ-3ᵉ : p. 86 et 95.

166. Le mode indicatif.

On emploie le *mode indicatif* pour exprimer une action ou un état certains ou considérés comme tels :

*Il ne **se soucie** pas de son avenir.*
*Il **a travaillé** toute la nuit.*
*Il **est** sérieusement malade.*

167. Le présent.

Le présent exprime une action qui se produit (ou un état qui existe) *au moment où l'on parle :*

*Je **vois,** de ma fenêtre, la pluie qui **tombe** dans la rue.*

168. Le présent : valeurs particulières.

Le présent peut exprimer :

Une **idée générale,** vraie de tout temps.
*L'honnête homme ne **lèse** pas son prochain.*

Une **action qui se répète** habituellement.
*Le soir, je **lis** d'ordinaire jusqu'à dix heures.*

Une **action passée,** que l'on veut rendre plus vivante (présent de narration).
*Il se promenait tranquillement sur la route; soudain **survient** une voiture.*

Une **action** qui se produit **dans un futur immédiat.**
*Il **arrive** dans un instant.*

Une **action future** après *si* introduisant une proposition de **condition** dont la principale est au futur.
*Demain, s'il **fait** beau, nous irons voir le lever du soleil.*

169. Le futur.

Le futur exprime une action *qui doit* ou *peut se produire dans l'avenir,* par opposition au *présent* et au *passé :*

*Nous **verrons** bientôt revenir les beaux jours.*

170. Le futur : valeurs particulières.

Le futur peut exprimer :

Un **ordre** (comme l'impératif).

*Vous **prendrez** ces cachets tous les matins à jeun.*

Une **action présente,** quand on veut atténuer l'expression (futur de politesse).

*Je vous **demanderai** de me laisser poursuivre mon exposé.*

Une **action passée** dans les récits historiques.

*Napoléon fut vaincu à Waterloo. De là **viendra** sa chute.*

Une **idée générale,** vraie en tout temps.

*Sur la route on ne **sera** jamais assez prudent.*

Une **action** qui **succède** à une autre dans l'avenir.

*Tu frapperas, et on t'**ouvrira**.*

Une **atténuation**.

*Cela **fera** dix nouveaux francs pour Monsieur.*

Une **hypothèse** probable.

*Qui a frappé ? ce **sera** la voisine.*

Une **protestation** indignée.

*Ils **auront** donc tous les droits !*

LES TEMPS PASSÉS DE L'INDICATIF

Ex. 6e : p. 100, 102, 104. — *Ex. 5e* : p. 82 et 84. — *Ex. 4e-3e* : p. 98.

171. L'imparfait.

L'imparfait indique une *action passée qui dure* :

*Il **feuilletait** fébrilement son livre.*

172. L'imparfait : valeurs particulières.

L'imparfait peut indiquer :

Une **action passée qui se répète** (imparfait de répétition ou d'habitude).

*La semaine il **rentrait** à midi, **prenait** son journal et **se mettait** à lire sans dire un mot.*

Une **action passée qui se produit en même temps qu'une autre** exprimée au passé simple (imparfait de simultanéité).

*Il **dormait** encore profondément quand **sonnèrent** huit heures.*

Dans un récit, **le déroulement d'une action passée** (imparfait de narration).

*Une fumée noire **s'élevait** de la ville, et, par instants, on **distinguait** le rougeoiement de l'incendie.*

Au passé, **les aspects habituels** d'un être ou d'une chose (imparfait de description).

*Ses cheveux **tombaient** en larges boucles blondes sur ses épaules.*

Dans une proposition conditionnelle introduite par *si*, la **condition** mise à la réalisation de l'idée exprimée par la principale.

*Il n'accepterait pas **si** je lui **offrais** mon aide.*

Un **regret.**

*Ah! **s'il se souvenait** de tout ce que l'on a fait pour lui !*

Une **atténuation polie** d'une demande, d'une recommandation.

*Je **voulais** vous demander votre avis.*

173. Le passé simple.

Le passé simple exprime une action achevée qui s'est produite *à un moment bien déterminé du passé;* il diffère donc de l'imparfait, qui exprime la durée ou la répétition :

On ***entendait*** *sans cesse du bruit au grenier; nous y* ***montâmes.***

L'action précise de *monter* s'oppose à la durée du bruit entendu.

Le passé simple s'oppose au présent de l'indicatif, car il exprime une action *complètement achevée* au moment où l'on parle :

Maintenant qu'il est mort, nous ***pouvons*** *dire qu'il* ***fut*** *un homme de cœur.*

174. Le passé composé.

Le passé composé exprime une action *terminée à un moment non précisé* du passé :

*Depuis quelques années, j'****ai voyagé*** *souvent à l'étranger.*

175. Le passé composé : valeurs particulières.

Le passé composé peut exprimer aussi une action qui s'est passée à un moment déterminé, mais ce moment est compris dans un espace de temps *qui n'est pas encore achevé.*

Le XXe siècle ***a vu*** *les premiers vols de l'homme dans l'espace.*

Le passé composé peut s'employer, avec la valeur d'un futur antérieur, pour exprimer une action qui va s'achever dans un futur proche :

J'ai fini *dans cinq minutes.*

Le passé composé s'emploie au lieu du futur antérieur dans les propositions conditionnelles introduites par *si :*

Si *demain la fièvre* ***n'a*** *pas* ***baissé,*** *rappelez-moi.*

Il est à noter que, dans la langue parlée, le passé composé a généralement remplacé le passé simple.

176. Le passé antérieur.

Le passé antérieur exprime une action passée qui s'est produite *immédiatement avant une autre action passée :*

Quand il ***eut achevé*** *son discours, il* ***sortit*** *de la salle.*

Le passé antérieur exprime la *succession rapide de deux actions dans le passé :*

Il ***reçut*** *un coup de poing, il* ***eut*** *vite* ***répondu.***

L'action de *répondre* a lieu, en réalité, après l'action de *recevoir.*

177. Le plus-que-parfait.

Le plus-que-parfait exprime une action qui s'est produite *avant une autre action passée*, mais, à la différence du passé antérieur, il peut s'être écoulé *un temps assez long entre les deux actions* :

Il ***avait connu*** *l'aisance; il* ***était*** *maintenant dans la misère.*

Le plus-que-parfait exprime une action habituelle ou répétée qui s'est produite avant une autre action passée :

Lorsqu'il ***avait lu*** *un livre, il en parlait toujours.*

178. Le plus-que-parfait : valeurs particulières.

Le plus-que-parfait, dans les propositions conditionnelles, exprime la *condition* qui était *mise à une action qui ne s'est pas réalisée :*

Cet accident ne lui serait pas arrivé s'il ***avait été*** *plus prudent.*

Le plus-que-parfait exprime le *regret d'une action passée :*

Ah! si vous ***aviez travaillé !***

179. Le futur antérieur.

Le futur antérieur exprime une *action future qui doit ou peut se produire avant une autre action future :*

Quand nous ***aurons lu*** *ce paragraphe, vous* ***pourrez*** *sortir.*

Le futur antérieur exprime aussi parfois une conjecture :

Il est en retard : il ***aura eu*** *un empêchement de dernière heure.*

Le futur antérieur peut s'employer pour atténuer, par politesse, l'expression d'un fait passé :

Vous vous ***serez trompé.***

Le futur antérieur exprime aussi l'indignation :

*Décidément j'****aurai*** *tout* ***vu !***

Le futur antérieur, dans les récits historiques, peut indiquer une action passée antérieure à une autre action passée :

Les Gaulois étaient divisés. Quand Vercingétorix ***aura pensé*** *à les rassembler, il* ***sera*** *trop tard.*

Ex. 6e : p. 106. — Ex. 5e : p. 86. — Ex. 4e-3e : p. 101.

LE SUBJONCTIF

180. Sens général du subjonctif.

1. Dans les propositions *indépendantes* ou *principales*, le subjonctif exprime :

Un ordre. *Qu'il* ***prenne*** *la voiture pour venir.*
Une défense. *Que rien* ***ne soit décidé*** *en mon absence.*
Un souhait. *Que vos vacances* ***soient*** *heureuses.*
Une supposition. *Qu'il* ***ose*** *t'interrompre, et je saurai le faire taire.*

2. Dans les propositions *subordonnées conjonctives*, le subjonctif s'emploie quand le verbe de la principale exprime :

La volonté. *Je veux que vous* ***écoutiez*** *avec attention.*
Le doute. *Je crains qu'il* ***n'arrive*** *encore en retard.*
Le sentiment. *Je suis heureux qu'il* ***ait eu*** *beau temps.*

3. Dans les propositions *subordonnées conjonctives* ou *relatives*, le subjonctif peut s'employer quand la subordonnée exprime une idée :

De but. *Je lui montre la lettre afin qu'il* ***sache*** *toute l'affaire.*
De concession. *Bien que la pièce* ***fût*** *médiocre, il ne s'ennuya pas.*
De condition. *Réglons cela, à moins que vous ne* ***vouliez*** *réfléchir.*
De conséquence. *Il n'est pas un d'entre vous qui ne* ***puisse*** *y réussir.*

(Voir *Propositions subordonnées relatives et conjonctives*, pp. 136-150).

181. Valeur des temps du subjonctif dans les subordonnées.

Dans les propositions subordonnées, le temps du subjonctif dépend du temps du verbe de la principale (concordance des temps).

PRINCIPALE	SUBORDONNÉE	EXEMPLES
Présent ou **futur.**	**Présent** (action présente ou future).	*Je* ***doute*** *qu'il* ***ait*** *assez d'énergie. Demain j'****exigerai*** *que tu* ***sortes.***
	Passé (action passée).	*Je* ***doute*** *qu'il* ***ait eu*** *assez d'énergie. Demain j'****exigerai*** *que tu* ***aies fini*** *ce devoir pour cinq heures.*
Passé ou **conditionnel.**	**Imparfait** (action simultanée).	*Je* ***voudrais*** *qu'il* ***eût*** *assez d'énergie.*
	Plus-que-parfait (action qui précède).	*Je* ***craignais*** *qu'il ne* ***fût venu*** *pendant mon absence.*

L'IMPÉRATIF

Ex. 6e : p. 108. — Ex. 5e : p. 86. — Ex. 4e-3e : p. 101.

182. Sens général de l'impératif.

L'impératif exprime un *ordre* ou une *défense* :

__Regardez__ ces fleurs. __Ne__ les __cueillez__ pas.

Le subjonctif présent supplée l'impératif à la 1re personne du singulier et aux 3e personnes du singulier et du pluriel :

Qu'il rentre avant huit heures.

183. Valeurs particulières de l'impératif.

L'impératif exprime aussi :

Le conseil.	*Ne __vous récriez__ pas tout de suite. __Attendez !__*
Le souhait.	*__Passez__ de bonnes vacances, vous et les vôtres.*
La supposition.	*__Ôtez__ la virgule, le sens devient différent.*
La prière.	*__Faites,__ ô mon Dieu, qu'il reconnaisse son erreur !*

On se sert parfois, pour empêcher une personne de commettre un acte quelconque, de l'impératif du verbe *aller* suivi d'un infinitif :

N'__allez__ pas __penser__ que je vous soupçonne.

184. Valeur des temps de l'impératif.

L'*impératif présent* exprime un ordre ou une défense portant sur le *présent* ou l'*avenir* :

__Versez__-moi à boire.
Ne __viens__ pas mardi, __téléphone__-moi.

L'*impératif présent* peut exprimer une condition présente à l'action exprimée dans la proposition qui suit :

__Accepte__ ma proposition et je me retire.
__Avance__ encore, je t'assomme !

L'*impératif passé* exprime un ordre (ou une défense) qui devra être *accompli* à un moment de l'avenir :

__Soyez levés__ demain avant huit heures.

Ex. 6e : p. 110. — *Ex. 5e* : p. 88. — *Ex. 4e-3e* : p. 101.

185. Sens général du conditionnel.

Le conditionnel exprime une action qui dépend, dans sa réalisation, de certaines conditions :

***Si j'étais riche, j'aurais** une petite maison à la campagne.*
Le fait d'avoir une petite maison dépend de ma richesse.

186. Valeurs particulières du conditionnel.

Le conditionnel peut exprimer :

Un fait imaginé. *On se **croirait** en été.*
La supposition. *Au cas où vous **changeriez** d'avis, prévenez-moi.*
Le souhait. *J'**aimerais** aller à la mer cet été.*
L'étonnement. *Il **viendrait** samedi soir pour repartir lundi matin?*
Le doute. *On **serait** sur la piste de l'homme des neiges.*
La politesse. *Je **désirerais** que vous répondiez aussitôt que possible* (moins impératif que *je désire que vous répondiez*).
L'indignation. *Et je **devrais** me taire!*

187. Les temps du conditionnel.

TEMPS	SENS	EXEMPLES
Condit. présent.	**potentiel** (Action possible dans l'avenir.)	*Si vous me donniez son adresse, j'**irais** tout de suite le trouver.*
	irréel du présent (Action impossible présentement.)	*Si je ne vous savais pas étourdi, je vous **confierais** cette lettre* (mais je sais que vous l'êtes).
Condit. passé.	**irréel du passé** (Action qui n'a pu se réaliser.)	*Si j'avais su que vous étiez à Paris, je **serais allé** vous voir* (mais je ne le savais pas).

188. Le conditionnel employé comme futur.

Les conditionnels présent ou passé s'emploient dans les subordonnées *avec la valeur de futur simple ou antérieur* quand le verbe de la principale est au passé (conditionnel dit *futur dans le passé*) :

Il affirme qu'il **viendra.** — *Il affirmait qu'il **viendrait.***
Il **affirme** qu'il **viendra** dès qu'il **aura terminé.** — *Il **avait affirmé** qu'il **viendrait** dès qu'il **aurait terminé.***

L'INFINITIF

Ex. 6e : p. 38 et 112.
Ex. 5e : p. 90.
Ex. 4e-3e : p. 106.

189. Sens général de l'infinitif.

1. L'infinitif est une forme verbale qui exprime une action sans indication de personne ni de nombre :
Nous avons vu l'orage ***venir,*** *les nuages* ***s'amonceler.***

2. L'infinitif peut aussi jouer le rôle d'un nom et en avoir toutes les fonctions :
Il consacrait plusieurs heures par jour à ***lire*** (ou *à la lecture*).
Lire, complément d'attribution de *consacrait*.

190. Les temps de l'infinitif.

1. L'*infinitif présent* indique une action qui se produit en même temps que celle du verbe principal :
Je l'entends ***chanter.*** *Je l'ai entendu* ***chanter.***

2. L'*infinitif passé* indique une action qui s'est produite avant celle qui est exprimée par le verbe principal :
Après ***avoir rangé*** *ses livres, il se prépare à aller en classe.*

191. Valeurs particulières de l'infinitif-verbe.

Parmi les emplois particuliers de l'infinitif-verbe, on distingue :

L'**infinitif d'ordre,** mis pour l'impératif, exprimant **ordre** ou **défense :**
Agiter *le flacon avant de s'en servir.*
Ne pas exposer *à l'humidité.*

L'**infinitif de narration,** mis pour l'indicatif. Précédé de **de,** il indique **une action rapide :**
Il acheva son histoire, et tous ***de rire.***

L'**infinitif exclamatif,** mis pour l'indicatif, exprime la **surprise :**
Moi, lui ***avoir dérobé*** *son stylo !*

L'**infinitif de délibération** exprime l'**incertitude :**
Que ***faire?*** *Qui* ***croire?***

192. Fonctions de l'infinitif-nom.

L'infinitif employé comme nom a *toutes les fonctions du nom* :

Sujet.	***Promettre** est facile, **tenir** est difficile.* *Promettre* et *tenir*, sujets de *est*.
Sujet réel.	*Il est bon de **parler** et meilleur de **se taire.*** *Parler* et *se taire*, sujets réels de *est*.
Compl. du nom.	*Je fus retenu par la crainte de le **blesser.*** *Blesser*, compl. du nom *crainte*.
Compl. de l'adjectif.	*C'est un ouvrage fort délicat à **faire.*** *Faire*, compl. de l'adjectif *délicat*.
Attribut.	*Votre devoir est de **travailler.*** *Travailler*, attribut du sujet *devoir*.
Compl. d'objet direct.	*Il aurait aimé vous **seconder** dans ce travail.* *Seconder*, compl. d'obj. direct de *aurait aimé*.
Compl. d'objet indirect.	*A-t-il pensé à **terminer** son travail?* *Terminer*, compl. d'obj. indirect de *a pensé*.
Compl. circonst. de but.	*Il ne sait que faire pour le **contenter.*** *Contenter*, compl. circ. de but de *ne sait que faire*.
— de manière.	*Il passa devant moi sans me **saluer.*** *Saluer*, compl. circ. de manière de *passa*.
— de cause.	*Pour **avoir** trop **mangé** de fruits, il eut une indigestion.* *Avoir mangé*, compl. circ. de cause de *eut*.
— de moyen.	*A force de **réclamer,** il obtint satisfaction.* *Réclamer*, compl. circ. de moyen de *obtint*.
— de temps.	*Avant d'**avoir pu** me mettre à l'abri, je fus trempé.* *Avoir pu*, compl. circ. de temps de *fus trempé*.
— de conséquence.	*Il est faible au point de s'**évanouir.*** *S'évanouir*, compl. circ. de conséquence de *est faible*.
— de condition.	*A **courir** après lui, je serais vite essoufflé.* *Courir*, compl. circ. de condition de *serais essoufflé*.
— de concession.	*Pour **être** sévère, je n'en suis pas moins compréhensif.* *Etre*, compl. circ. de concession de *suis* (bien que je sois).

LE PARTICIPE

Ex. 6e : p. 114.
Ex. 5e : p. 92.
Ex. 4e-3e : p. 108.

193. Sens général du participe.

Le participe est une forme verbale qui peut avoir *la valeur d'un verbe* en exprimant une action ou un état, et *la valeur d'un adjectif* en se rapportant à un nom ou un pronom dont il indique une qualité. Il existe un *participe présent* et un *participe passé :*

***Passant** dans la rue, je suis monté vous voir* (valeur verbale).
*C'est une rue très **passante*** (valeur adjective).

*Il attendait, **dissimulé** derrière un arbre* (valeur verbale).
*C'est un garçon hypocrite, **dissimulé,** menteur* (valeur adjective).

194. Le participe présent.

Le participe présent est employé comme *verbe* ou comme *adjectif :*

1. **Participe présent proprement dit.** Forme verbale invariable, souvent suivie d'un complément exprimant une action en train de se faire.
*Une meute **hurlant** de fureur s'acharnait sur la bête.*

2. **Gérondif.** Forme verbale invariable, précédée de la préposition **en,** et exprimant une circonstance du verbe principal.
***En prenant** l'escabeau, vous atteindrez le rayon.*
*Ils défilèrent dans les rues **en chantant.***

3. **Adjectif verbal.** Employé comme adjectif qualificatif, variable, exprimant une qualité.
*Vous avez des enfants très **obéissants.** La meute **hurlante** des chiens.*

Il y a parfois des différences orthographiques entre le participe présent proprement dit et l'adjectif verbal.

Participe présent : *provoquant, fatiguant, vaquant, naviguant, négligeant,* etc.
Adjectif verbal : *provocant, fatigant, vacant, navigant, négligent,* etc.

195. Le participe passé.

Le participe passé peut être employé comme *verbe* ou comme *adjectif :*

1. **Participe passé proprement dit.** Forme verbale souvent suivie d'un complément, exprimant une action passée ou un état présent.
***Appliqués** à leur travail, ils ne nous avaient pas vus.*

2. **Adjectif verbal.** Employé comme adjectif qualificatif.
*Les enfants **appliqués** sont sûrs de réussir.*

Ex. 6e : p. 42.
Ex. 5e : p. 94.
Ex. 4e-3e : p. 110.

ACCORDS DU VERBE

VERBE À UN MODE PERSONNEL

196. Un seul sujet.

Quand un verbe a un seul sujet, il s'accorde en nombre et en personne avec ce sujet :

__Il descend__ les escaliers. *__Les enfants jouent__ dans la cour.*
***Toi qui aimes** tant te baigner, **tu serais** heureux ici.*
*C'est **moi qui suis** votre grand-mère.*

197. Cas particuliers avec un seul sujet.

1. Le verbe est au *pluriel* si le sujet est *beaucoup, la plupart* ou un *adverbe de quantité* accompagnés d'un *nom complément au pluriel* (v. p. 25) :

La plupart des invités étaient venus. ***Trop de gens criaient.***
Beaucoup de badauds s'arrêtaient. ***Bien des femmes pleuraient.***

2. Le verbe est au *singulier* ou au *pluriel* selon la nuance de sens si le sujet est une des expressions *un des, un tiers, un quart,* ou un nom *collectif,* suivis d'un *complément au pluriel* :

*C'est **un des films qui plaît** ou **plaisent** le plus au public.*
***Une foule d'admirateurs** l'**attendait** ou l'**attendaient** à la sortie.*

3. Lorsqu'un pronom relatif sujet a pour antécédent un pronom personnel, le verbe de la proposition relative se met à la même personne et au même nombre que l'antécédent :

*Est-ce **toi** qui le leur **as** interdit?*

198. Plusieurs sujets.

1. Quand un verbe *a plusieurs sujets,* il se met au *pluriel* :

***Le tilleul et le marronnier masquaient** la façade de l'hôtel.*

2. Quand le verbe a des *sujets de personnes différentes*, il se met à la :

1re personne du pluriel si les sujets sont aux **1re** et **2e** personnes :
Toi et ***moi*** *nous nous* ***entendons*** *parfaitement.*

1re personne du pluriel si les sujets sont aux **1re** et **3e** personnes :
Mes amis et moi *nous* ***sommes allés*** *en voyage.*

2e personne du pluriel si les sujets sont aux **2e** et **3e** personnes :
Ton frère et ***toi*** *vous vous* ***ressemblez*** *beaucoup.*

3. Quand le verbe a pour *sujet* un *vous* de *politesse*, le participe passé (et l'adjectif attribut) se met au singulier :
N'avez-vous pas été ***ému*** *en l'entendant? Je vous croyais* ***sensible.***

199. Cas particuliers avec plusieurs sujets.

1. Le verbe peut être au *singulier* ou au *pluriel* indifféremment si les sujets au singulier sont réunis par les conjonctions *comme, ou, ni, ainsi que :*
*Ni lui ni sa femme n'****entendit*** ou *n'****entendirent*** *ces mots.*

2. Le verbe peut être au *singulier* ou au *pluriel* indifféremment si le sujet est *l'un et l'autre :*
L'un et l'autre ***sont tombés*** *ou* ***est tombé.***

3. Le verbe est au *pluriel* lorsque le sujet est joint à un autre nom de même importance par la préposition *avec;* si celui-ci est accessoire, le verbe reste au *singulier :*
Mon frère ***avec*** *son ami* ***sont allés*** *au cinéma.*
L'homme ***avec*** *son chien marchait dans la forêt.*

4. Le *verbe impersonnel,* ou le verbe employé à la tournure impersonnelle, ne s'accorde jamais avec le sujet réel, mais *reste à la 3e personne du singulier* (voir p. 25) :
Il ***tombait*** *de larges gouttes tièdes* (**gouttes,** sujet réel).

5. *C'est* peut rester invariable avec un nom ou un pronom au pluriel :
C'est eux ou ***ce sont eux*** *les coupables.*
C'était ou ***c'étaient*** *de véritables festins.*

Ex. 6e : p. 116, 118, 120.
Ex. 5e : p. 96 et 98.
Ex. 4e-3e : p. 113 et 117.

ACCORD DU PARTICIPE PASSÉ

200. Participe passé employé sans auxiliaire.

Le participe passé employé sans auxiliaire *s'accorde en genre et en nombre avec le nom auquel il se rapporte :*

*Les **villas édifiées** sur la colline jouissent d'une **vue étendue.***
***Surprise, Jeanne** se retourna brusquement, **effrayée,** inquiète.*

201. Participe passé conjugué avec *ÊTRE*. Verbes passifs et verbes intransitifs.

Conjugué avec être, le participe passé des verbes passifs et de certains verbes intransitifs *s'accorde en genre et en nombre avec le sujet du verbe :*

*La **villa** a été **louée** pour les vacances. Les **feuilles** sont **tombées.***

202. Participe passé conjugué avec *AVOIR*.

Règle générale.

Le participe passé conjugué avec l'auxiliaire *avoir* (temps composés des verbes actifs) ***s'accorde*** *en genre et en nombre avec son complément d'objet direct,* ***lorsque ce complément le précède :***

*Vous avez **pris** → la bonne route.*
*C'est la bonne route que ← vous avez **prise.***

Le participe reste ***invariable :***

a) *S'il n'a **pas** de complément d'objet direct :*
Ils ont répondu.
Ils ont répondu | sans retard.
Ils ont répondu | à notre lettre par retour du courrier.

b) *Si le complément d'objet direct est placé **après :***
Nous avons mangé → des fruits.
Il a reçu → de bonnes nouvelles.

203. Participe passé conjugué avec *AVOIR* et suivi d'un infinitif.

Le participe passé conjugué avec *avoir* et *suivi d'un infinitif* complément d'objet *reste* ***invariable*** *:*

Vous auriez ***dû*** *→ écouter.*

Vous auriez ***dû*** *écouter → nos conseils.*

Les conseils que vous auriez ***dû*** *écouter.*

Cette construction se trouve avec les verbes *voir, entendre, sentir, laisser, faire, vouloir, devoir, pouvoir, omettre de,* etc.

Avec les verbes *voir, regarder, entendre, sentir* et *laisser,* il ne faut pas confondre le *sujet de l'infinitif* avec son *complément d'objet direct :*

J'ai entendu **Odile** *entrer* (qu'Odile entrait).

Odile est sujet d'*entrer* et complément d'objet direct de *ai entendu.*

J'ai entendu raconter → cette ***histoire.***

Histoire est **complément d'objet** de *raconter* et non pas du participe passé *entendu.*

Règle : *Quand le sujet de l'infinitif est placé avant le participe passé, celui-ci s'accorde* en genre et en nombre avec le sujet de l'infinitif :

La ***cantatrice que*** *j'ai entendu*__*e*__ *chanter.*

Cantatrice est **sujet de l'infinitif** et **précède le participe passé** *entendu,* il y a donc accord.

J'ai entendu **qui?** *la cantatrice* représentée par ***que.*** Elle chantait.

Au contraire, dans l'exemple suivant :

La romance que j'ai entendu chanter.

Que, mis pour *romance,* n'est pas sujet, mais complément d'objet direct de *chanter.* Dans ce cas, *entendu* reste invariable.

204. Participe passé conjugué avec *AVOIR* et précédé du pronom *en.*

Le participe passé conjugué avec l'auxiliaire *avoir* reste ***invariable*** *si le complément d'objet direct qui précède* est le pronom *en :*

*J'ai cueilli des fraises dans le jardin et j'****en*** *ai mangé.*

205. Participe passé conjugué avec *AVOIR* et précédé du pronom *l'* représentant une proposition.

Le participe passé conjugué avec l'auxiliaire *avoir* qui a pour complément d'objet direct le pronom neutre *l'*, représentant toute une proposition, *reste **invariable** :*

*La journée fut plus belle qu'on ne **l'**avait espéré.*
L', complément d'objet direct de *avait espéré*, représente la proposition **la journée fut plus belle.**

206. Participe passé conjugué avec *AVOIR* : verbes intransitifs.

Les participes passés *couru, coûté, pesé, valu, vécu* restent **invariables** *quand ils sont employés **au sens propre.*** Ils sont intransitifs :

La somme importante qu'a coûté ce pardessus (sens propre; pas d'accord).
Il n'y a pas de complément d'objet direct. On ne peut dire : a coûté quoi? mais : a coûté **combien?**

Les vingt minutes que nous avons couru (sens propre; pas d'accord).
Pas de complément d'objet direct. On ne peut dire : couru quoi? mais : couru pendant **combien** de minutes?

*Employés au **sens figuré,** ils sont transitifs et **s'accordent** avec le complément d'objet direct qui les précède :*

*Les **efforts qu'a coûtés** cet examen* (sens figuré; accord).
Cet examen a coûté **quoi?** *des efforts.*

*Les **dangers que** nous avons **courus*** (sens figuré; accord).
Nous avons couru **quoi?** *des dangers.*

207. Participe passé conjugué avec *AVOIR* : *verbes impersonnels.*

Le participe passé des verbes impersonnels ou pris impersonnellement *reste toujours invariable :*

*Les deux jours **qu'il a neigé.***
Qu', mis pour *jours*, est complément circonstanciel de temps de **a neigé.**

*Les accidents nombreux **qu'il y a eu** cet été.*
Qu', mis pour *accidents*, sujet réel de **y a eu.**

208. Participe passé conjugué avec *ÊTRE* : *verbes pronominaux réfléchis* et *réciproques.*

Règle : Les participes passés des verbes pronominaux réfléchis et réciproques (voir p. 79), conjugués avec l'auxiliaire *être*, suivent la règle des participes passés conjugués avec l'auxiliaire *avoir* et *s'accordent* en genre et en nombre *avec le pronom réfléchi ou réciproque (se, me, te, nous, vous)* si celui-ci est *complément d'objet direct :*

Elle ***s'****est regardé****e*** *dans la glace.*
Elle a regardé **qui?** *elle* ***(s'),*** dans la glace.
S', pronom réfléchi, complément d'objet direct, donc accord.

Vous ***vous*** *êtes battu****s*** *dans la rue.*
Vous avez battu **qui?** *vous.*
Vous, pronom réciproque, complément d'objet direct, donc accord.

Le participe passé ne s'accorde pas avec le pronom réfléchi ou réciproque si celui-ci est *complément d'objet indirect ou complément d'attribution :*

Ils se sont lavé les mains.
Ils ont lavé les mains **à qui?** *à eux* ***(se).***
Complément d'attribution, donc pas d'accord.

Nous nous sommes écrit.
Nous avons écrit **à qui? *à nous*** *(les uns aux autres).*
Complément d'attribution, donc pas d'accord.

REMARQUE : Si le complément d'objet direct du verbe pronominal réfléchi ou réciproque est *placé avant le participe,* ce dernier s'accorde avec lui :

La jambe ***qu'****il s'est tordu****e.***
Qu', mis pour *jambe*, complément d'objet direct de ***s'est tordu.***

Les injures ***qu'****ils se sont adressé****es.***
Qu', mis pour *injures*, complément d'objet direct de ***se sont adressé.***

209. Participe conjugué avec *ÊTRE* : *verbes pronominaux* et *pronominaux à sens passif.*

Le participe passé des verbes pronominaux proprement dits ou des verbes pronominaux à sens passif (voir p. 149), conjugués avec l'auxiliaire *être*, s'accorde en genre et en nombre avec le sujet :

Ils se *sont* ***aperçus*** *de leur erreur.*
Ces livres se *sont bien* ***vendus.***

Ex. 6e : p. 122 et 124.
Ex. 5e : p. 100.
Ex. 4e-3e : p. 121.

MOTS INVARIABLES

LES ADVERBES

210. Nature et fonction de l'adverbe.

L'adverbe est un mot invariable qui modifie le sens d'un adjectif, d'un verbe ou d'un autre adverbe :

Il est ***fort discret.*** *Tu* ***parles trop.*** *Il répondit* ***très poliment.***

Les adverbes peuvent être :

Des mots simples : *bien, fort, toujours, là;*
Des locutions adverbiales : *tout de suite, à l'envi.*

On distingue les adverbes :

de manière, de quantité, de lieu, de temps, d'opinion, d'affirmation, de négation, d'interrogation.

211. Adverbes de manière.

Ils remplacent un complément de manière ou modifient l'action exprimée par le verbe :

Il chante ***faux.*** *Il agit* ***bien.*** *Il récite* ***par cœur.***

Ce sont :

1. Des adverbes d'origine latine : **bien, mal, mieux.**
2. Des adjectifs pris comme adverbes : **juste, faux, clair.**
3. Des locutions adverbiales : **de bon gré, à gauche.**
4. Des adverbes formés avec le suffixe **-ment.**

Ils peuvent avoir le sens d'*adverbes de quantité* :

Il est ***bien*** *insouciant.*

Ils peuvent devenir des *noms* :

On peut escompter ***un*** *léger* ***mieux*** *dans son état.*

Mieux, ici, est un nom précédé de l'article et accompagné d'un adjectif.

212. Adverbes de manière en *-ment*.

La plupart des adverbes de manière en *-ment* sont formés en ajoutant le suffixe *-ment* au féminin des adjectifs :

*Heureux, heureuse, heureuse**ment**.*

Il y a des exceptions.

Les adjectifs en ***-ant*** et ***-ent*** forment leurs adverbes en ***-amment*** et ***-emment.***	*Sav**ant**, sav**amment**;* *Prud**ent**, prud**emment**.*
Certains adjectifs forment leurs adverbes avec le suffixe ***-ément.***	*Précis, précis**ément**;* *Profond, profond**ément**.*
Les adjectifs terminés par une voyelle ont souvent perdu le **-e** du féminin (parfois remplacé par un accent circonflexe).	*Hardi, hardi**ment**;* *Assidu, assid**ûment**;* *Goulu, goul**ûment**.*
Certains adverbes de manière ont été faits sur des ***formes disparues*** ou sur des adjectifs qui n'existent qu'en ancien français.	*Bref, brièvement;* *Sciemment.*
Quelques adverbes en ***-ment*** sont formés ***sur des noms.***	***Bête**ment, **diable**ment.*

Les adverbes de manière, comme les adjectifs, ont des comparatifs et des superlatifs (voir pp. 42-43) :

*Il réfléchit **plus longuement.** Il est vêtu **très élégamment.***

*Il va **bien,** il va **mieux,** il va **le mieux** du monde.*

213. Adverbes de quantité.

Les *adverbes de quantité* indiquent une *quantité* ou un *degré :*

*Il y a **peu de** fruits cette année. Son mal est **moins** grave qu'il le dit.*

Les adverbes de quantité peuvent être :

Des mots simples : *trop, suffisamment, assez, autant, aussi, si,* etc.;

Des locutions adverbiales : *à peine, à moitié, peu à peu.*

Certains de ces adverbes de quantité peuvent être suivis d'un complément introduit par la préposition *de :*

*Il pardonna avec **beaucoup de** générosité*

Au sens de degré, ils peuvent être suivis d'une proposition subordonnée de comparaison (voir p. 150) :

*Il est aussi aimable **que l'était son père.***

214. Adverbes de lieu.

Les *adverbes de lieu* ont le sens d'un *complément circonstanciel de lieu*. Ce sont des mots simples ou des locutions adverbiales :

Il chercha ***partout*** *ses lunettes, mais ne les trouva* ***nulle part.***

Ils expriment :

Le **lieu où l'on est** ou le **lieu où l'on va.**	Là, où, ici, ailleurs, à droite, à gauche, dedans, derrière, dessous, dessus, dehors, quelque part, partout, y, etc.
Le **lieu d'où l'on vient.**	D'où, d'ici, de là, de partout, d'ailleurs, de derrière, en, etc.
Le **lieu par où l'on passe.**	Par où, par ici, par là, y, etc.

1. L'adverbe **ici** marque le rapprochement; l'adverbe **là** l'éloignement :

Ici *on est à l'ombre,* ***là*** *le soleil est trop chaud.*

2. L'adverbe **voici** (considéré aussi comme verbe ou comme préposition) désigne ce qui est rapproché ou ce qui suit; **voilà,** ce qui est éloigné ou ce qui précède :

Voilà *qui est fort bien agi;* ***voici*** *maintenant ce qu'il faut faire.*

3. **En** et **y** sont aussi des pronoms personnels (voir p. 52).

215. Adverbes de temps.

Les *adverbes de temps* ont le sens d'un complément circonstanciel de temps. Ce sont des mots simples ou des locutions adverbiales, exprimant :

Date ou moment.	Désormais, hier, aujourd'hui, demain.
Répétition.	Souvent, fréquemment, de nouveau.
Durée.	Toujours, longtemps, pendant ce temps.
Ordre dans les événements.	Avant, après, ensuite, dès lors, alors.

Plusieurs adverbes de temps peuvent avoir des comparatifs et des superlatifs :

Souvent, ***moins*** *souvent,* ***plus*** *souvent,* ***très*** *souvent,* ***le plus*** *souvent.*

216. Adverbes d'opinion.

On distingue les *adverbes d'affirmation* et les *adverbes de négation*.

1. Les *adverbes d'affirmation* servent à *exprimer, renforcer* ou *atténuer* une affirmation; ce sont des mots simples *(oui, certes, évidemment)* ou des locutions adverbiales *(sans doute, peut-être)* :

Oui, *j'essaierai.* ***Assurément,*** *il viendra.* ***Peut-être*** *se décidera-t-il.*

L'adverbe d'affirmation *si* s'emploie après une question négative :

N'as-tu pas compris ? — ***Si.***

Si peut encore être conjonction de subordination, adverbe interrogatif, adverbe de quantité (voir p. 131).

2. Les *adverbes de négation* servent à exprimer la négation sous ses diverses formes. Ce sont essentiellement les adverbes *non* et *ne* (renforcés ou non par d'autres adverbes).

Non. Réponse négative.
Fait-il froid ce matin? **Non.**

Renforcement d'une négation.
Je ne le recevrai pas, **non.**

Négation portant sur un mot.
Devoir **non** *remis.*

Opposition de deux groupes.
Il l'a fait involontairement, **non** *par intérêt.*

Ne... pas. Négation usuelle.
Il **n'a pas** *entendu. Je* **ne** *sais* **pas.**

Ne... point. Négation littéraire.
Tu **ne** *m'as* **point** *répondu. Il* **ne** *vous comprend* **point.**

Ne... goutte. Négation employée dans la seule expression *n'y voir goutte.*
Il **n'***y voit* **goutte;** *il doit porter des lunettes.*

Ne... plus. Signifie *ne... pas désormais*
Il **ne** *sort* **plus** *de chez lui. Il* **n'***a* **plus** *écrit.*

Ne... guère. Signifie *ne... pas beaucoup.*
Je **ne** *l'ai* **guère** *vu ces jours-ci. Il* **n'***y pense* **guère.**

Ne... que. Signifie *seulement.*
Je **ne** *reste* **qu'***un instant. Il* **ne** *connaît* **que** *l'anglais.*

Ne est parfois employé **seul.**

Dans certaines expressions.
Il y a plus d'un mois qu'il **n'***a plu. A Dieu* **ne** *plaise!*
Je **n'***ai que faire de vos dons.* **N'***était votre étourderie...*

Avec *aucun, personne, rien, nul, ni.*
Il **ne** *m'a* **rien** *remis pour vous. Nul* **ne** *l'a vu.*

Dans l'expression : *que ne* signifiant *pourquoi ne pas.*
Que ne *le lui aviez-vous dit! Que* **ne** *le faites-vous!*

Souvent après *si.*
Si *je* **ne** *me trompe, je l'entends.*

Souvent avec les verbes *oser, pouvoir, savoir.*
Il **n'***osait l'interrompre. Je* **ne** *puis vous dire ma joie.*

Ne *explétif,* employé dans des phrases qui ne devraient pas contenir de négation.

Verbes de **crainte** (phrases affirmatives ou interrogatives).
Je crains qu'il **ne** *vienne. Je tremble qu'il* **ne** *m'ait entendu.*
Crains-tu qu'il **ne** *vienne? Il a peur qu'il* **ne** *soit trop tard.*

Verbes d'**empêchement** (sauf *défendre*).
Tu empêcheras qu'il **ne** *s'éloigne.*

Verbes de **doute** (phrases négatives ou interrogatives).

Je ne doute pas qu'il **ne** *se rétablisse.*

Après de *peur que, avant que, à moins que.*

Préviens-le avant qu'il **ne** *soit là.*

Après *peu s'en faut, autre, autrement que,* ou après *que* comparatif.

Il est moins habile que je **ne** *pensais.*

Dans les subordonnées *relatives consécutives,* dont la principale est négative :

Il n'y a pas de chagrin que le temps **n'***adoucisse.*

Pour la négation ***ni,*** voir page 129.

Double négation

La double négation peut exprimer :

Une *affirmation atténuée :* *Il* ***n'a pas*** *dit* ***non.***
Une *nécessité :* *Tu* ***ne*** *peux* ***pas ne pas*** *accepter.*
Une *affirmation absolue :* *Il* ***n'****est* ***pas sans*** *savoir...*

217. Adverbes d'interrogation.

Les *adverbes d'interrogation* introduisent des questions qui portent :

Sur le temps : ***Quand*** *passera-t-il nous voir?*
Sur le lieu : ***D'où*** *revient-il?* ***Où*** *vont-ils?*
Sur la manière : ***Comment*** *sait-il cela?*
Sur la cause : ***Pourquoi*** *ne m'en a-t-il rien dit?*
Sur la quantité : ***Combien*** *sont-ils?*
Sur le prix : ***Combien*** *veut-il de sa maison?*

Les adverbes d'interrogation est-ce *que,* dans l'interrogation directe, et *si,* dans l'interrogation indirecte, ne portent que sur l'action ou l'état exprimés par le verbe :

Est-ce qu'*il est parti en voyage?* *Peux-tu me dire* ***s'****il est parti?*

REMARQUE : Ne pas confondre **si** *conjonction de subordination* et **si** *adverbe interrogatif,* **si** *adverbe de quantité* et **si** *adverbe d'affirmation* (voir page 131).

LES PRÉPOSITIONS

Ex. 6e : p. 126.
Ex. 5e : p. 102.
Ex. 4e-3e : p. 126.

218. Nature et fonction.

La *préposition* est un mot invariable qui joint un nom, un pronom, un adjectif, un infinitif ou un gérondif à un autre terme (verbe, nom, etc.) en établissant un rapport entre les deux :

J'ai appris la nouvelle **de** *sa mort* **par** *le journal.*

De établit un rapport entre *nouvelle* et *mort;* **par** établit un second rapport, entre *j'ai appris* et *journal.*

Mort est complément du nom *nouvelle; journal,* complément circonstanciel de moyen de *j'ai appris.*

219. Formes des prépositions.

Les prépositions peuvent être :

Des **mots simples :**	à, après, avant, avec, chez, contre, de, depuis, derrière, dès, devant, en, entre, envers, outre, par, parmi, pendant, pour, près, sans, sous, sur, vers, etc.
D'**anciens participes** ou **adjectifs :**	attendu, concernant, durant, excepté, moyennant, passé, plein, suivant, supposé, touchant, vu, etc.
Des **locutions prépositives :**	à cause de, afin de, à force de, à travers, au-dessus de, auprès de, d'après, de façon à, en dépit de, faute de, grâce à, hors de, jusqu'à, loin de, par rapport à, etc.

220. Rôle des prépositions.

I. La préposition introduit **un complément :**

du nom.	*Il est docteur* ***en médecine.*** **Médecine,** compl. du nom **docteur.**
du pronom.	*Aucun* ***de ses amis*** *n'est venu.* **Amis,** compl. du pronom **aucun.**
de l'adjectif.	*Ce médicament est mauvais* ***au goût.*** **Goût,** compl. de l'adjectif **mauvais.**
d'objet indirect.	*Il se souvenait* ***de son enfance.*** **Enfance,** compl. obj. indir. de **se souvenait.**
circonstanciel.	*Il a été blessé* ***à la tête.*** **Tête,** compl. circ. de lieu de **a été blessé.**

2. La préposition introduit aussi des **mots non compléments :**

Sujet réel.	*Il est nécessaire* ***d'étudier.*** **Étudier,** sujet réel de **est nécessaire.**
Attribut.	*Je le tiens* ***pour un homme honnête.*** **Homme honnête,** attribut de l'objet **le.**
Épithète.	*Y a-t-il quelque chose* ***de nouveau?*** **Nouveau,** épithète de **quelque chose.**
Apposition.	*Connaissez-vous l'île* ***d'Oléron?*** **Oléron,** apposition à **île.**

221. Sens des prépositions.

1. Certaines prépositions n'expriment qu'*un seul rapport* et introduisent une seule sorte de complément :

durant

compl. de temps.	***Durant toute sa vie,*** *il est resté très simple.*

parmi

compl. de lieu.	*Il chercha* ***parmi ses papiers.***

2. D'autres prépositions établissent *plusieurs rapports :*

avec

compl. d'accompagnement.	*Il sort tous les jours* ***avec son chien.***
compl. de manière.	*J'avançais* ***avec prudence.***
compl. de moyen.	*Ils ouvrirent la porte* ***avec leur clé.***
compl. de temps.	*Il se lève* ***avec le jour.***

dans

compl. de lieu.	*Il se repose* ***dans sa chambre.***
compl. de temps.	*Ils viendront* ***dans trois jours.***
compl. de manière.	*Il dessine* ***dans la perfection.***

3. D'autres, enfin, établissent *de multiples rapports* et jouent des rôles très variés; ce sont des *mots-outils :*

par

compl. de lieu.	*Nous sommes passés en voiture* ***par la Suisse.***
compl. de temps.	*Il se baigne* ***par tous les temps.***
compl. de moyen.	*Nous sommes allés en Angleterre* ***par avion.***
compl. de cause.	*Il agit toujours* ***par intérêt.***
compl. de manière.	*Le poste a été attaqué* ***par surprise.***
compl. d'agent.	*Il a été nommé* ***par le ministre.***
Et cætera.	

de

compl. d'objet indirect.	*J'use* ***de mon droit.***
compl. de lieu.	*Nous arrivons* ***de Marseille.***
compl. de temps.	*Il travaille* ***de deux heures*** *à six heures.*
compl. de cause.	*Il meurt* ***de faim.***
compl. de manière.	*Il cite tous ses textes* ***de mémoire.***
compl. de moyen.	*Il me fit signe* ***de la main.***
compl. de nom (but, etc.).	*Il monte une salle* ***de spectacle.***
Et cætera.	

à

compl. d'objet indirect.	*Il a assisté indifférent* ***à ma réussite.***
compl. de lieu.	*Nous allons* ***à Rome.***
compl. de temps.	*Nous déjeunerons* ***à midi.***
compl. de but.	*Il tend* ***à la perfection.***
compl. de moyen.	*Je pêche* ***à la ligne.***
compl. de manière.	*Tu te portes* ***à merveille.***
compl. de prix.	*Ces places sont* ***à moitié prix.***
Et cætera.	

222. Répétition des prépositions.

Les prépositions se répètent en général devant chaque complément, mais l'usage n'est pas rigoureux :

Il me reçut ***avec*** *amabilité et même* ***avec*** *une certaine satisfaction.*
Il me reçut ***avec*** *amabilité et même une certaine satisfaction.*

Les prépositions *à, de, en* ne se répètent pas :

Dans les **locutions** toutes faites.
En *mon âme et conscience, je le crois coupable.*

Dans une succession de **synonymes.**
Je m'adresse ***au*** *collègue et ami.*

Lorsque des **adjectifs numéraux** sont coordonnés par *ou.*
La tour s'élève ***à*** *trois cents ou trois cent dix mètres.*

Dans les **énumérations** dont l'ensemble forme un groupe.
La pièce est ***en*** *cinq actes et dix tableaux.*

CONJONCTIONS ET INTERJECTIONS

Ex. 6ᵉ : p. 128, 130, 132.
Ex. 5ᵉ : p. 104 et 106.
Ex. 4ᵉ-3ᵉ : p. 130.

223. Conjonctions.

La *conjonction* est un mot invariable qui **sert à lier :**

Deux mots :

Nous lui avons offert un bouquet d'œillets **et** *de roses.*
Et unit *œillets* et *roses;* c'est une **conjonction de coordination.**

Deux propositions :

Le vent se leva, **mais** *le ciel restait clair.*
Mais oppose les deux propositions *le vent se leva* et *le ciel restait clair;* c'est une **conjonction de coordination.**

Une proposition (subordonnée) à une autre proposition dont elle dépend :

Nous aperçûmes les toits et l'église du village **lorsque** *la brume se fut levée.*
Lorsque relie la proposition subordonnée *la brume se fut levée* à *nous aperçûmes les toits et l'église du village;* c'est une **conjonction de subordination.**

On distingue :

Les **conjonctions de coordination :** *et, ou, ni, mais, or, car, donc.*
Les **conjonctions de subordination :** *si, sinon, comme, quand, que, lorsque, afin que, puisque,* etc.

224. Conjonctions de coordination.

et	liaison, addition.	*Mes neveux* **et** *ma nièce sont partis en vacances.*
ou	alternative.	*Il faut persévérer* **ou** *renoncer tout de suite.*
ni	liaison.	*Il ne veut* **ni** *ne peut accepter.*
	alternative négative.	*L'homme n'est* **ni** *ange* **ni** *bête.*
mais	opposition.	*Ils ne sont pas encore là,* **mais** *il n'est que huit heures.*
or	argumentation ou transition.	*Tous les hommes sont mortels,* **or** *Socrate est un homme, donc Socrate est mortel.*
car	explication.	*Ferme la fenêtre,* **car** *il y a un courant d'air.*
donc	conséquence, conclusion.	*L'heure du train est proche, nous allons* **donc** *vous quitter.*

Certains mots, les adverbes surtout, peuvent jouer le rôle de conjonctions de coordination; ils expriment alors :

L'alternative :	soit, tantôt ... tantôt;
L'opposition :	cependant, pourtant, néanmoins, toutefois, au reste, en revanche, d'ailleurs;
L'explication :	en effet, c'est-à-dire;
La conséquence :	c'est pourquoi, aussi, partant, par conséquent, par suite;
La conclusion :	enfin, ainsi, en bref.

225. Conjonctions de subordination.

Ces conjonctions expriment :

La cause.	**parce que, puisque,** etc.	***Puisque*** *vous refusez, je m'adresserai à un autre.*
Le but.	**afin que, pour que, de peur que.**	*Enlevez cette pierre,* **de peur qu'***on ne bute contre elle.*
Le temps.	**quand, lorsque, dès que, avant que,** etc.	***Quand*** *il sera là, dites-le-moi.* ***Dès qu'****il fera jour, nous partirons.* ***Avant*** *qu'il parte, prévenez-le.*
La concession.	**bien que, quoique.**	***Bien que*** *cet échec fût grave, il ne se découragea pas.*
La condition.	**si, pourvu que.**	*Je serais heureux d'accepter votre invitation,* **pourvu que** *ma présence ne fût pas pour vous une gêne.*
La comparaison.	**de même que, comme.**	***Comme*** *nous l'avions pensé, le chemin était très dur.*
La conséquence.	**tellement que.**	*J'ai* **tellement** *crié* **que** *je suis enroué.*

Que peut être conjonction de subordination de :

Prop. complétive.	*Chacun espère* **que** *vous reviendrez.*
Cause.	*Il se tait, non* **qu'***il ignore les faits, mais par discrétion.*
But.	*Cachons-nous ici* **qu'***on ne nous voie pas.*
Temps.	*Il dormait encore* **que** *j'étais déjà loin.*
Condition.	***Qu'****on m'approuve ou* **qu'***on me blâme, j'irai.*

226. *Comme.*

Comme peut être une conjonction de subordination de :

Cause.	***Comme*** *il pleut, nous ne pourrons sortir.*
Comparaison.	*Il est mort* **comme** *il a vécu.*
Temps.	*Nous sommes arrivés* **comme** *il partait.*

Comme peut aussi être un adverbe de quantité :

Comme *il est intelligent !*

227. *Si.*

Si peut être :

Conjonction de condition.	***Si*** *vous veniez, je serais heureux.*
Adverbe interrogatif.	*Demandez-lui* ***s'****il nous accompagnera.*
Adverbe de quantité.	*Je ne suis pas* ***si*** *cruel que vous le dites.*
Adverbe d'affirmation.	*Ne viendrez-vous pas ? —* ***Si !***

228. Interjections.

L'*interjection* est un mot invariable qui sert à exprimer une émotion, un ordre ou un bruit :

Oh ! *le magnifique tableau.*	***Hé !*** *vous, là-bas, approchez !*
Et ***patatras !*** *le voilà à terre.*	***Bravo !*** *il a réussi.*

L'interjection n'a pas de relation avec les autres mots de la phrase et n'a pas de fonction grammaticale. Elle est suivie d'un point d'exclamation (!).

229. Les diverses interjections.

L'interjection peut être un mot simple exprimant :

surprise	**ah!**	silence	**chut!**	demande	**hein!**
douleur	**aïe!**	appel	**eh!**	regret	**hélas!**
doute	**bah!**	appel	**hé! ho!**	hésitation	**heu!**
insouciance	**baste!**	mépris	**fi!**	surprise	**oh!**
approbation	**bravo!**	avertissement	**gare!**	dégoût	**pouah!**

Des mots sont accidentellement interjections (noms, verbes, etc.) :

alerte!	appel	**ciel!**	stupeur	**silence!**	ordre
allons!	encouragement	**diable!**	surprise	**miséricorde!**	effroi
courage!	encouragement	**halte!**	ordre	Et cætera.	

Des locutions interjectives sont formées de plusieurs mots :

eh bien! (demande); **tout beau!** (apaisement); **en avant!** (encouragement); **juste ciel! mon Dieu!** (stupeur); **fi donc!** (mépris), etc.

Des onomatopées reproduisent certains bruits :

pan! vlan!, clic!, clac!, patatras!, pif!, paf!, cric!, crac!, bang!

Les formules de salutation sont considérées comme des interjections :

bonsoir, au revoir, adieu.

LA STRUCTURE DE LA PHRASE

Ex. 6e : p. 4, 130, 132. — *Ex. 5e* : p. 108. — *Ex. 4e-3e* : p. 134.

230. La proposition.

Une phrase est faite d'une ou de plusieurs *propositions*. Chaque proposition contient en général un *verbe*, un *sujet*, des *compléments* ou un *attribut*. Il y a autant de propositions dans une phrase que de verbes à un mode personnel (indicatif, conditionnel, subjonctif et impératif) :

Cette nouvelle ***avait abattu*** *son courage.*

Cette phrase ne contient qu'une proposition, qui comporte un **verbe** *(avait abattu)*, un **sujet** *(cette nouvelle)* et un **complément** *(son courage)*.

Voir aussi *Propositions infinitive et participiale*, pp. 139 et 151.

231. La proposition indépendante.

Dans une phrase, une proposition est dite *indépendante* lorsqu'elle exprime une idée complète qui se suffit à elle-même, qu'elle ne dépend d'aucune autre proposition et qu'aucune proposition ne dépend d'elle :

Cette nouvelle avait abattu son courage.
proposition indépendante.

232. Coordination et juxtaposition des propositions indépendantes.

Il peut y avoir plusieurs *propositions indépendantes* dans une phrase; elles sont dites *coordonnées* quand elles sont réunies par une conjonction de coordination, et *juxtaposées* quand elles ne sont liées entre elles par aucun mot de liaison :

Cette nouvelle avait abattu son courage || **et** *il restait désemparé.*
proposition **indépendante** — prop. indép. coordonnée par **et**

Cette nouvelle avait abattu son courage; || *ses espoirs étaient anéantis.*

Cette nouvelle avait abattu son courage, **proposition indépendante;** *ses espoirs étaient anéantis,* **proposition indépendante juxtaposée.**

233. Proposition principale et proposition subordonnée.

Deux propositions peuvent être *liées entre elles* non par une conjonction de coordination, mais par une *conjonction de subordination*, un *pronom relatif* ou un mot *interrogatif*. On appelle *proposition subordonnée* celle qui commence par une conjonction de subordination, un pronom relatif ou un mot interrogatif, et *proposition principale* celle qui est ainsi complétée par une ou plusieurs subordonnées :

Cette nouvelle avait abattu le courage || ***dont*** *il avait fait preuve jusqu'ici.*

Cette nouvelle avait abattu le courage, **proposition principale;**
dont *il avait fait preuve jusqu'ici,* **proposition subordonnée.**

234. Coordination et juxtaposition des propositions principales et subordonnées.

Deux ou plusieurs propositions principales (ou subordonnées) peuvent être *juxtaposées* ou *coordonnées* comme des propositions indépendantes :

Lorsque les enfants ***furent montés*** *dans la voiture,* || *que chacun* ***se fut*** *bien* ***installé,*** || *Georges* ***s'aperçut*** || *qu'il* ***avait oublié*** *la valise* || *et* ***dut remonter*** *quatre à quatre.*

Lorsque *les enfants furent montés dans la voiture,*	proposition subordonnée conjonctive.
que *chacun se fut bien installé,*	proposition subordonnée conjonctive **juxtaposée** à la précédente;
Georges s'aperçut	proposition principale;
qu'*il avait oublié la valise*	proposition subordonnée conjonctive;
et *dut remonter quatre à quatre.*	proposition principale **coordonnée** à *Georges s'aperçut.*

235. Les formes des propositions indépendantes et principales.

Les *propositions indépendantes* et *principales* peuvent être :

Affirmatives ou **négatives.**	***Je n'ai rien aperçu*** || *qui fût inquiétant.*
Interrogatives.	***Qu'as-tu vu*** || *qui puisse te troubler?*
Exclamatives.	***Quelle émotion a été la nôtre*** || *quand nous l'avons revu!*
Incises ou **intercalées.**	*Je vous invite,* || ***dit-il,*** || *à venir dîner chez nous.*

236. Propositions elliptiques.

Une proposition comporte en principe un verbe et un sujet. Quand le verbe ou le sujet *ne sont pas exprimés*, les propositions indépendantes, principales ou subordonnées sont dites *elliptiques*.

Ellipse du sujet.

Il s'arrêta, || ***puis repartit sans mot dire.***
Proposition indépendante elliptique :
Puis repartit sans mot dire
(le sujet ***il*** n'est pas exprimé).

Ellipse du verbe dans les indépendantes et les principales.

Lui avez-vous donné rendez-vous ? || ***Oui, demain à quatre heures.***
Oui, demain à quatre heures : proposition indépendante elliptique (***je lui ai donné rendez-vous*** n'est pas exprimé).

Regardez l'inscription; on y lit : « ***Défense d'afficher*** *»*
Défense d'afficher : proposition indépendante elliptique (le verbe n'est pas exprimé, ***il est fait*** défense d'afficher).

Ellipse du verbe dans les subordonnées.

Il pense || ***comme moi.***
Comme moi : proposition subordonnée elliptique (le verbe ***je pense*** n'est pas exprimé : comme moi je pense).

On peut aussi considérer que cette phrase ne comprend qu'une proposition et analyser *moi* comme un complément de comparaison de *pense*.

Il faut distinguer les propositions elliptiques des propositions interrompues (suivies de points de suspension) :

Si jamais tu touches à mes papiers...

des phrases exclamatives :

Ô rage! ô désespoir! ô vieillesse ennemie!

des mots mis en apostrophe :

Enfants, venez!

des interjections :

Attention! vous allez trop vite.

PROPOSITIONS SUBORDONNÉES

*Ex. 6e* : p. 130. — *Ex. 5e* : p. 110. — *Ex. 4e-3e* : p. 134.

237. La proposition subordonnée.

La *proposition subordonnée* complète ou modifie le sens de la proposition (*principale* ou *subordonnée*) dont elle dépend.

Je l'ai rencontré || ***alors que je sortais de chez moi.***
Dans cette phrase, il y a deux propositions : *je l'ai rencontré,* proposition principale; *alors que je sortais de chez moi,* **proposition subordonnée** qui ajoute une idée de *temps* à la proposition principale.

238. Nature des subordonnées.

La proposition subordonnée peut être introduite par un *pronom relatif,* une *conjonction de subordination* ou un *interrogatif* (adverbe, pronom, adjectif); on distingue donc :

La **proposition subordonnée relative.**

Je n'ai point lu le livre || ***dont vous me parlez.***
dont, pronom relatif, introduit la subordonnée relative.

La **proposition subordonnée conjonctive.**

Il raconte || ***qu'il a été le témoin d'un terrible accident.***
Qu'il a été le témoin d'un terrible accident : subordonnée conjonctive introduite par la conjonction ***que.***

La **proposition subordonnée interrogative indirecte.**

Je lui disais || ***combien cette dent me faisait souffrir.***
Combien cette dent me faisait souffrir : subordonnée interrogative indirecte introduite par l'adverbe interrogatif ***combien.***

Il arrive que les propositions subordonnées ne soient introduites par aucun mot subordonnant (conjonction, relatif, mot interrogatif). C'est le cas des *propositions infinitive* et *participiale* (voir pages 139 et 151).

239. Fonction des subordonnées.

Les propositions subordonnées ont toutes une fonction, qui dépend à la fois de leur nature et du rôle qu'elles jouent dans la phrase. Les *propositions relatives* sont *compléments du nom ou du pronom antécédents;* les *propositions conjonctives* peuvent être *sujet, attribut, complément d'objet, complément circonstanciel* (voir pages 137 à 151).

LA SUBORDONNÉE RELATIVE

Ex. 6ᵉ : p. 130.
Ex. 5ᵉ : p. 112.
Ex. 4ᵉ-3ᵉ : p. 137 et 159.

240. Nature de la relative.

La *proposition subordonnée relative* est introduite par un *pronom relatif* (voir *Pronoms relatifs,* p. 60). Elle complète un nom ou un pronom exprimé dans la proposition qui précède, et que l'on appelle *antécédent* :

J'allais contempler le ***soleil*** || ***qui se couchait sur la mer.***
Qui *se couchait sur la mer* : relative complément du nom **soleil** (antécédent).

241. Fonction des relatives.

La proposition subordonnée relative est *complément de l'antécédent* :

Cadet Rousselle a trois maisons Qui n'ont ni poutres ni chevrons.
Qui n'ont ni poutres ni chevrons, complément de l'antécédent ***maisons.***

L'antécédent peut ne pas être exprimé.

(Celui) ***Qui agit ainsi*** *n'est pas digne de vivre.*
Qui *agit ainsi* : subordonnée relative, complément de l'antécédent **celui,** non exprimé. Cette proposition peut aussi être interprétée comme sujet du verbe principal est.

242. Mode des subordonnées relatives.

La proposition subordonnée relative est généralement *à l'indicatif* :
On était suffoqué par une odeur || ***qui prenait*** *à la gorge.*

Elle est *au subjonctif* quand elle exprime :

Le but.
Trouvez un ami || ***qui se fasse*** *votre compagnon pendant ce voyage* (pour se faire votre...).

La conséquence.
Il n'était pas de visage || ***qui exprimât*** *mieux la bonté* (tel qu'il pût mieux exprimer la bonté).

En particulier, après *le seul, le dernier, le premier* ou un superlatif relatif.
Vous êtes le seul || ***à qui je puisse*** *demander ce service.*

Elle est *au conditionnel* quand elle exprime la possibilité :
La personne || ***qui le rencontrerait*** || *devrait aussitôt le prévenir.*

Elle peut être *à l'infinitif :*
Je ne voyais alors personne || ***à qui demander*** *ma route.*

SUBORDONNÉES COMPLÉTIVES

Ex. 6ᵉ : p. 130 et 134.
Ex. 5ᵉ : p. 114 et 116.
Ex. 4ᵉ-3ᵉ : p. 139, 142, 159.

On appelle **subordonnées complétives** les subordonnées qui jouent le rôle de complément d'objet ou de sujet du verbe principal, ou d'attribut du sujet de ce verbe. Elles peuvent être introduites par une conjonction (subordonnées conjonctives), par un mot interrogatif (subordonnées interrogatives indirectes), ou être construites sans aucun mot subordonnant (subordonnées infinitives).

243. Subordonnée conjonctive sujet.

Une subordonnée conjonctive introduite par la conjonction *que* peut être sujet réel d'un verbe impersonnel (ou d'une locution verbale ayant le sens d'un verbe impersonnel). Elle répond à la question *qu'est-ce qui?*

Il est vraisemblable || ***qu'il sera reçu à son examen.***
Qu'est-ce qui est vraisemblable ? *qu'il sera reçu à son examen,* proposition subordonnée conjonctive, **sujet réel** de **est vraisemblable.**
Qu'il vienne || *me surprendrait.*
Qu'il vienne, sujet de **surprendrait.**

244. Subordonnée conjonctive objet.

Une subordonnée conjonctive introduite par la conjonction *que* peut être complément d'objet du verbe de la proposition principale. Elle répond à la question *quoi?* On la trouve après les verbes de :

déclaration	dire, etc.	*Il affirme* || ***que tout est en ordre.***
opinion	penser, etc.	*Il estime* || ***qu'il faut le prévenir.***
perception	entendre, etc.	*Tu vois* || ***que ton devoir est de rester.***
volonté	vouloir, etc.	*Je veux* || ***qu'on soit sincère.***
ordre	ordonner, etc.	*J'interdis* || ***qu'on lui parle.***
empêchement	empêcher, etc.	*Ils ont empêché* || ***qu'il me rejoignît.***
crainte	craindre, etc.	*Je crains* || ***qu'il ne puisse pas accepter.***

245. Subordonnée conjonctive attribut.

Une subordonnée conjonctive introduite par *que* peut être l'attribut du sujet d'une proposition principale dans les phrases telles que : *l'ennui* est, *le malheur* est, *le fait* est :

La vérité est || ***qu'il a fait face à la situation avec détermination.***
La subordonnée conjonctive *qu'il a fait face à la situation avec détermination* est **attribut** *du sujet* **vérité.**

246. Mode des subordonnées conjonctives sujet et objet.

Ces subordonnées conjonctives sont généralement à *l'indicatif* :

*Il est vrai || **qu'ils se sont parfaitement entendus.***

Les subordonnées conjonctives sont souvent au *subjonctif* quand la proposition principale est négative ou interrogative :

Il n'est pas vrai (Est-il vrai...) || ***qu'ils se soient parfaitement entendus.***

Les subordonnées conjonctives sujet ou objet sont au *subjonctif* après les verbes exprimant un désir, un doute, une crainte, une volonté :

*Je désire || **qu'il revienne.***

247. Concordance de temps entre principale et subordonnée.

Le temps de la subordonnée varie avec le temps et le mode de la proposition *(principale* ou *subordonnée)* dont elle dépend.

Quand la principale est au présent (ou au futur) de l'indicatif, la subordonnée **à l'indicatif** peut être à un temps quelconque.

*Je crois || qu'il **vient,** || qu'il **est venu,** || qu'il **viendra.***
*Il **verra** que j'**ai** raison.*

Quand la principale est au présent (ou au futur) de l'indicatif, la subordonnée **au subjonctif** est au présent ou au passé :

*Je crains || qu'il ne **vienne,** || qu'il ne **soit venu.***
*Je n'**admettrai** pas qu'il **s'absente.***

Quand la principale est à l'indicatif passé ou au conditionnel, la subordonnée **à l'indicatif** est à l'imparfait ou au plus-que-parfait de l'indicatif. Si elle exprime le futur, elle est au « conditionnel présent », futur dans le passé.

*Je croyais || qu'il **venait,** || qu'il **était venu,** || qu'il **viendrait.***

Quand la principale est à l'indicatif passé (passé simple, passé composé, plus-que-parfait, passé antérieur) ou au conditionnel, la subordonnée **au subjonctif** est à l'imparfait ou au plus-que-parfait (v. *Tolérances grammaticales*, p. 157).

*Je craignais || qu'il ne **vînt,** || qu'il ne **fût venu.***

Cette règle de concordance n'est pas observée,

1° Lorsque la proposition subordonnée à l'indicatif ou au subjonctif a une valeur générale :

*Il **savait** || que toute vérité **n'est** pas bonne à dire.*
*Il **n'admettait** pas || que toute vérité ne **soit** pas bonne à dire.*

2° Lorsque la proposition subordonnée au subjonctif indique *une action qui dure encore* ou qui se produit présentement :

*J'**ai averti** ses amis || afin qu'ils ne lui **apprennent** pas aujourd'hui cette mauvaise nouvelle.*

3° Lorsque la proposition subordonnée au subjonctif indique *une action future* :

*J'**ai dit** || qu'on m'**avertisse*** dès *qu'il arrivera.*

On évite de faire la concordance des temps à la 1re et à la 2e personne du singulier et du pluriel du subjonctif imparfait et plus-que-parfait.

248. Subordonnée infinitive.

Les verbes *voir, regarder, entendre, sentir* et *laisser* (plus rarement *dire, croire* et *savoir*) peuvent être suivis d'une proposition *subordonnée complément d'objet*, dont *le verbe à l'infinitif* est *accompagné d'un sujet* :

J'entends || ***Pierre chanter dans la pièce voisine.***
L'infinitif *chanter* a pour sujet **Pierre.**
Pierre chanter dans la pièce voisine est une proposition subordonnée infinitive complément d'objet de **entends.**
Nos deux maîtres fripons Regardaient || ***rôtir des marrons.***
Rôtir des marrons est une proposition infinitive.
L'infinitif **rôtir** a pour sujet **marrons.**

Il faut, pour qu'il y ait proposition infinitive, que l'infinitif ait un sujet exprimé qui soit en même temps *complément d'objet direct* du verbe de la proposition principale.

Ainsi, dans l'exemple suivant :

J'entendais chanter dans la pièce voisine,
il n'y a pas de proposition infinitive : *chanter* est un infinitif *sans sujet,* et qui est *complément d'objet direct* de *entendais.*

SUBORDONNÉE INTERROGATIVE

Ex. 6e : p. 134.
Ex. 5e : p. 116 et 118.
Ex. 4e-3e : p. 139, 144, 159.

249. Proposition interrogative.

Une proposition indépendante (ou principale) peut être de forme interrogative; elle commence alors par un mot interrogatif (pronom, adjectif, adverbe) ou comporte une inversion, et elle est suivie d'un point d'interrogation :

Pourquoi *n'êtes-vous pas venu?*
Proposition **indépendante interrogative.**

Comment *a-t-il pu oublier ce* || *que je lui avais dit?*
Proposition **principale interrogative.** Proposition **subordonnée.**

250. Subordonnée interrogative indirecte.

La question, au lieu d'être posée directement, peut l'être par l'intermédiaire d'un verbe comme *demander, savoir, ignorer,* etc. La proposition devient alors une subordonnée interrogative indirecte, commençant par un mot interrogatif (adjectif, pronom, adverbe). Elle n'est pas suivie d'un point d'interrogation :

Je lui ai demandé || ***combien de temps il avait été malade.***
Combien *de temps il avait été malade,* **proposition subordonnée interrogative indirecte,** introduite par l'adverbe interrogatif *combien.*
Dis-moi || ***qui tu hantes,*** *je te dirai* || ***qui tu es.***
Qui tu hantes et *qui tu es,* **propositions subordonnées interrogatives indirectes,** introduites par le pronom interrogatif **qui.**

Les propositions interrogatives indirectes sont souvent introduites par l'adverbe interrogatif ***si,*** qu'il ne faut pas confondre avec la conjonction de subordination ***si,*** introduisant une subordonnée conditionnelle (voir pp. 131 et 149).

251. Fonction des subordonnées interrogatives indirectes.

La proposition subordonnée interrogative indirecte est complément d'objet, ou plus rarement sujet, de la principale :

Je voudrais bien savoir || ***quel était ce jeune homme, Si c'est un grand seigneur et*** || ***comment il se nomme.***
Quel était ce jeune homme, Si c'est un grand seigneur, comment il se nomme: **propositions interrogatives indirectes,** complément d'objet de *savoir.*

252. Mode de l'interrogation indirecte.

La proposition interrogative indirecte peut être au mode :

Indicatif.	*Nous ne savons pas* || ***quand nous le verrons.***
Conditionnel.	*Je me demande* || ***qui agirait ainsi en ce cas.***
Infinitif.	*Il ne sait* || ***à qui s'adresser.***

253. Style direct.

Le style ou discours direct consiste à reproduire textuellement les *paroles* (ou la *pensée*) de quelqu'un :

***Il dit :** « Je me sens fatigué et je vais prendre quelques jours de vacances; j'irai me reposer en Auvergne chez mes parents. »*

Le discours direct est entre des guillemets.

254. Style indirect.

Le style ou discours indirect consiste à rapporter les paroles ou les pensées de quelqu'un en *les faisant dépendre d'un verbe* comme *il dit que*... Toutes les propositions principales et indépendantes du style direct deviennent donc des propositions subordonnées objet :

***Il dit** || **qu'**il se sentait fatigué || et **qu'**il allait prendre quelques jours de vacances; || **qu'**il irait se reposer en Auvergne chez ses parents.*

Il peut se produire, en outre, des changements de personne pour les pronoms personnels et les mots possessifs :

Style direct : *Il m'a dit : « **Je te** prêterai **ma** voiture. »*

Style indirect : *Il m'a dit qu'**il me** prêterait **sa** voiture.*

En style direct, l'ordre ou la défense s'expriment par l'impératif ou le subjonctif :

Il dit : *« Je te vois fatigué, va donc te reposer à la montagne. »*

Dans le discours indirect, l'ordre ou la défense s'expriment par le subjonctif :

*Il lui dit qu'il le voyait fatigué, qu'il **allât** donc se reposer à la montagne.*

255. Style indirect libre.

Le style ou discours indirect libre consiste à supprimer la proposition principale d'introduction *(il dit)*, tout en conservant les temps et les personnes du discours indirect :

Il se sentait fatigué et il allait prendre quelques jours de vacances; il irait se reposer en Auvergne chez ses parents.

L'imparfait est le temps le plus souvent employé dans le discours indirect libre; on y trouve aussi le plus-que-parfait et le conditionnel (au sens d'un futur dans le passé).

UBORDONNÉES
ONSTANCIELLES

Ex. *6e* : p. 130 et 136.
Ex. *5e* : p. 120 à 135.
Ex. *4e-3e* : p. 147 à 165.

256. Subordonnées circonstancielles.

Les *propositions subordonnées circonstancielles* indiquent les *circonstances* qui entourent l'action principale, qui la déterminent, la motivent ou en expriment les conséquences, le but, etc. Elles peuvent être des *subordonnées conjonctives*, commençant par une conjonction de subordination, ou des *subordonnées participiales* (ou *participes*) :

A peine commençait-on à descendre de la montagne || **que l'orage éclata.**
La subordonnée conjonctive indique une circonstance de **temps.**

La fatigue survenant, || *nous avons été obligés de nous arrêter.*
La subordonnée participiale indique une **cause** de l'action exprimée par la principale.

Quand deux propositions conjonctives de même nature sont coordonnées ou juxtaposées, la conjonction de subordination peut être remplacée par la conjonction *que* dans la seconde proposition :

Quoique *la neige se fût mise à tomber* || et **que** *le vent se fût levé,* || *il n'hésita pas à partir à leur recherche.*

257. Nature des subordonnées circonstancielles.

On distingue :

Les **subordonnées conjonctives**

de *temps*, de *cause*, de *but*, de *conséquence*, de *concession (opposition)*, de *condition*, de *comparaison;*

Les **subordonnées participiales.**

Les propositions introduites par *où* (relatives) sont parfois considérées comme des subordonnées de lieu.

258. SUBORDONNÉE DE TEMPS.

La subordonnée *de temps* indique les circonstances qui *précèdent, suivent* ou *accompagnent* l'action de la principale. Elle répond aux questions *quand? depuis quand?* etc.

Quand le chat n'est pas là, || *les souris dansent.*
Les souris dansent ***quand?*** *Quand le chat n'est pas là* : subordonnée conjonctive, **complément de temps** de **dansent.**

259. Les diverses formes.

L'action indiquée dans la principale peut se produire *avant* (antériorité), *après* (postériorité) ou *pendant* (concomitance) l'action exprimée par le verbe de la proposition subordonnée; les subordonnées de temps peuvent être à l'indicatif ou au subjonctif, suivant la conjonction qui les introduit.

CONJONCTIONS	MODES	EXEMPLES
Avant que, jusqu'à ce que, en attendant que.	Subjonctif.	***Avant que le jour fût levé,*** || *les chasseurs partirent avec leurs chiens.*
Après que, sitôt que.	Indicatif.	***Après que nous eûmes longtemps sonné à la porte,*** || *un visage parut à la fenêtre.*
Tandis que, tant que, pendant que, comme.	Indicatif.	***Tant que la pluie tombera,*** || *nous ne pourrons sortir.*
Lorsque, quand, alors que.	Indicatif.	***Lorsque l'accident se produisit,*** || *elle traversait la rue.*
Dès que, depuis que, aussitôt que.	Indicatif.	**Dès que vous aurez terminé,** || *vous me préviendrez.*

260. Les autres expressions du temps.

L'idée de temps peut être exprimée aussi par :

Un nom complément de temps introduit par les prépositions **avant, après, dès, depuis,** etc., ou sans préposition (voir p. 33).

Il est debout ***chaque matin dès 6 heures.***

Un infinitif complément circonstanciel de temps introduit par les prépositions **avant de, après, au moment de,** etc. (voir p. 113).

Au moment de partir, *un incident nous retarda.*

261. SUBORDONNÉE DE CAUSE

La subordonnée de *cause* indique la *raison* pour laquelle s'accomplit l'action exprimée dans la principale (ou dans la proposition dont cette subordonnée dépend). Elle répond à la question *pourquoi, à cause de quoi?*

*Allez jouer dans le jardin || **puisque la pluie a cessé.***
Puisque la pluie a cessé, proposition subordonnée conjonctive, **complément de cause** de **allez jouer.**

Outre que *(non seulement, parce que)* indique une raison accessoire, qui s'ajoute à la principale.

262. Les diverses formes.

CONJONCTIONS	MODES	EXEMPLES
Parce que, puisque, comme, vu que, attendu que, sous prétexte que, du moment que.	Indicatif ou Conditionnel.	***Comme tu as faim,*** *|| prends cette tartine de confiture.* *J'aime l'araignée et j'aime l'ortie, || **parce qu'on les hait.***
Non que, non pas que, ce n'est pas que.	Subjonctif.	***Ce n'est pas que je veuille vous renvoyer,*** *|| cependant il se fait tard || et la nuit va tomber.*

263. Les autres expressions de la cause.

L'idée de cause peut être exprimée aussi par :

Un nom complément circonstanciel de cause, avec les prépositions ou locutions prépositives **à, de, pour, grâce à, en raison de, faute de, sous prétexte de,** etc.

Faute de patience, *|| il ne réussit pas à le calmer.*
Patience, compl. circ. de cause de *réussit.*

Un infinitif complément circonstanciel de cause, avec la plupart des prépositions.

*J'étais exaspéré || **d'avoir attendu si longtemps.***
Avoir attendu, compl. circ. de cause de *étais exaspéré.*

Un participe apposé ou absolu.

*L'homme, **pressé** (parce qu'il était pressé), était reparti.*

Une proposition relative à l'indicatif.

*Cette personne, || **qui a beaucoup voyagé*** (parce qu'elle a beaucoup voyagé), *|| pourra vous renseigner.*

264. SUBORDONNÉE DE BUT

La subordonnée *de but* indique le but ou l'intention dans lesquels s'accomplit l'action exprimée dans la principale (ou dans la proposition dont elle dépend). Elle répond à la question *dans quel but?*

> *Donnez* ***afin qu'on dise :*** *il a pitié de nous.*
> *Afin qu'on dise*, subordonnée conjonctive, **complément de but** de **donnez.**

> *Le chien vint aboyer à la porte ||* ***pour qu'on lui ouvrît.***
> *Pour qu'on lui ouvrît*, subordonnée conjonctive, **complément de but** de **vint aboyer.**

265. Les diverses formes.

CONJONCTIONS	MODES	EXEMPLES
Afin que, pour que, que.	Subjonctif.	*On jeta une bouée dans l'eau, ||* ***afin qu'il pût se sauver.***
De crainte que, de peur que.	Subjonctif.	*Fermez la fenêtre, ||* ***de crainte que le courant d'air ne vienne à briser le carreau.***

266. Les autres expressions du but.

L'idée de but peut être exprimée aussi par :

Un nom complément circonstanciel de but.

Il est sorti ***pour sa promenade quotidienne.***

Un infinitif complément circonstanciel de but, précédé des prépositions ou locutions prépositives **pour, afin de, en vue de, dans la crainte de,** etc.

Je n'avais pas répondu, || ***de peur de te mettre en colère.***
(L'infinitif complément circonstanciel de but doit avoir le même sujet que le verbe principal.)

Une proposition relative au subjonctif.

Allez chercher un porteur || ***qui aille prendre mes bagages à la voiture.***

267. SUBORDONNÉE DE CONSÉQUENCE

La subordonnée *de conséquence* indique le *résultat atteint* ou *possible* grâce à l'action exprimée dans la proposition principale ou dans la proposition dont cette subordonnée dépend. Elle répond aux questions : *en amenant quelle conséquence, quel résultat ?*

Il agit **de telle manière** || ***que personne n'eut plus confiance en lui.***
Il agit d'une manière qui amena quel résultat ? le fait *que personne n'eut plus confiance en lui* : subordonnée conjonctive, **complément de conséquence** de **agit.**

La chétive pécore ***s'enfla si bien*** || ***qu'elle creva.***
Qu'elle creva, subordonnée conjonctive, **complément de conséquence** de **s'enfla si bien.**

268. Les diverses formes.

La subordonnée de conséquence peut être introduite par :

CONJONCTIONS	MODES	EXEMPLES
De telle sorte que, de telle manière que, au point que, si bien que.	Indicatif.	*L'accident fut brutal,* || ***au point que nul ne put en établir les circonstances exactes.***
Que annoncé dans la principale par **tel,** ou par un adverbe de quantité : **si, tant, tellement,** etc.	Indicatif ou Conditionnel.	*Le bruit devint si intense* || ***que l'on dut fermer la fenêtre.*** *Il pleut tant* || ***qu'on ne peut faire les semailles.***
De façon que, sans que, en sorte que, de manière que, trop (assez)... pour que.	Subjonctif.	*Il est entré* || ***sans que les invités le voient.*** *Il pleut trop* || ***pour qu'on puisse faire les semailles.***

Lorsque la principale est négative ou interrogative, la proposition subordonnée de conséquence est au subjonctif.

Il n'est pas si égoïste || ***qu'il ne nous vienne en aide.***

269. Les autres expressions de la conséquence.

L'idée de conséquence peut être exprimée aussi par :

Un infinitif précédé des prépositions ou locutions prépositives **à, assez... pour, trop... pour, de façon à, en sorte de, au point de,** etc.

Il n'est pas parti ***assez*** *vite* || ***pour gagner cette course.***
Gagner, compl. circ. de conséquence de *n'est pas parti.*

Une proposition relative au subjonctif.

Il est le dernier || ***à qui nous puissions faire appel.***

270. SUBORDONNÉE DE CONCESSION

La subordonnée *de concession (opposition ou restriction)* indique le fait *qui aurait pu s'opposer* à la réalisation du fait ou de l'action exprimés dans la principale ou dans la proposition dont cette subordonnée dépend. Elle répond aux questions *en dépit de quoi? malgré quoi?*

> ***Bien qu'il fût parti en retard,*** || *il a réussi à me rejoindre.*
> Il a réussi à me rejoindre **en dépit de quoi?** *bien qu'il fût parti en retard,* proposition subordonnée conjonctive, **complément de concession** de **il a réussi à me rejoindre.**

271. Les diverses formes.

Les subordonnées de concession sont introduites par :

CONJONCTIONS	MODES	EXEMPLES
Quoique, bien que, loin que, encore que, malgré que.	Subjonctif.	*Il était généreux* || ***quoiqu'il fût économe.***
Quelque... que, si... que, employés avec un adjectif ou un adverbe.	Subjonctif.	***Quelque étonnant que cela paraisse,*** || *je ne m'aperçus de rien.*
Quelque... que avec un nom placé après *quelque.*	Subjonctif.	***Quelque courage que vous ayez*** (quel que soit votre courage), || *vous échouerez.*
Même si, sauf que.	Indicatif.	***Même si ma vie était en jeu,*** || *je n'hésiterais pas.*
Quand même, lors même que.	Conditionnel.	***Quand bien même il aurait eu raison,*** || *il devait céder.*

Les deux derniers groupes peuvent aussi être considérés comme introduisant des propositions conditionnelles.

272. Les autres expressions de la concession.

L'idée de concession peut s'exprimer aussi par :

Un nom complément introduit par les prépositions **malgré, en dépit de,** etc.

> ***En dépit du sable qui l'aveuglait,*** || *il continua de marcher.*
> *Sable,* compl. circ. de concession de *continua de marcher.*

Un infinitif complément introduit par les prépositions **pour, loin de, au lieu de,** etc.

> ***Pour être jeune,*** || *il n'en est pas moins responsable.*
> *Être jeune,* compl. circ. de concession de *n'est pas moins responsable.*

Une proposition relative à l'indicatif.

> *Lui,* || ***qui d'habitude restait froid*** (bien qu'il restât froid), || *s'enthousiasma.*

273. SUBORDONNÉE DE CONDITION

La subordonnée *complément circonstanciel de condition* indique à quelle condition est soumise l'action de la principale ou celle de la proposition dont cette subordonnée dépend. Elle répond aux questions *à quelle condition? dans quelle hypothèse?*

> ***S'il n'avait pas couru si vite,*** || *il ne serait pas tombé.*
> Il ne serait pas tombé **à quelle condition?** S'il n'avait pas couru si vite.
> *S'il n'avait pas couru si vite,* proposition subordonnée conjonctive, **complément de condition** de **il ne serait pas tombé.**
> *Je le ferais encor,* || ***si j'avais à le faire.***
> *Si j'avais à le faire,* proposition subordonnée conjonctive, **complément de condition** de **je le ferais.**

Voir *Comparative conditionnelle*, p. 150.

274. Les différentes formes.

Les subordonnées conjonctives de condition sont introduites par :

CONJONCTIONS	MODES	EXEMPLES
Selon que, suivant que.	Indicatif.	***Selon que vous serez de son avis ou non,*** || *il vous estimera* || *ou vous méprisera.*
A supposer que, pourvu que, à condition que, en admettant que, soit que... soit que, à moins que, pour peu que, que.	Subjonctif.	*Il doit tout ignorer encore de la nouvelle,* || ***à moins que vous n'ayez eu l'imprudence de la lui apprendre.***
Au cas où.	Conditionnel.	***Au cas où il accepterait,*** || *avertissez-moi.*
Si.	Indicatif.	Voir tableau p. 149.

Lorsqu'une proposition subordonnée de condition introduite par *si* est suivie d'une autre subordonnée de condition qui lui est coordonnée, celle-ci est introduite par *que* et son verbe se met au *subjonctif :*

> ***S'il*** *vient* **et que** *je ne* **sois** *pas encore* **arrivé,** *faites-le attendre.*

275. La subordonnée de condition introduite par *si*.

La proposition subordonnée conditionnelle introduite par la conjonction *si* a son verbe à l'indicatif, mais le temps varie suivant le *sens* de la phrase et selon le *mode* et le *temps* de la proposition principale. (Voir aussi le *conditionnel*, p. 111.)

PRINCIPALE	SUBORDONNÉE AVEC « SI »	EXEMPLES
Indicatif présent, imparfait, passé simple et **passé composé,** exprimant un fait réel.	Indicatif.	***Si tu as quelque ennui,*** || *tu peux me le confier.*
Indicatif futur ou impératif, exprimant un fait futur.	Indicatif présent.	***Si je l'apprends,*** || *je te le dirai.* ***Si tu acceptes,*** || *téléphone-moi.*
Conditionnel présent, exprimant un fait possible dans l'avenir.	Indicatif imparfait.	***Si je l'apprenais demain,*** || *je vous le dirais.*
Conditionnel présent, exprimant un fait impossible présentement.	Indicatif imparfait.	***Si je le savais actuellement,*** || *je vous le dirais.*
Conditionnel passé, exprimant un fait qui n'a pu avoir lieu dans le passé.	Indicatif plus-que-parfait.	***Si je l'avais su,*** || *je vous l'aurais dit.*

276. Les autres expressions de la condition.

L'idée de condition peut être exprimée par :

1. Un *nom complément de condition* introduit par les prépositions *sans, avec, selon, sauf, moyennant, en cas de :*

Sans votre appui, || *il n'aurait pas réussi.*

2. Un *infinitif complément de condition* introduit par les prépositions ou locutions prépositives *à, à condition de, à moins de :*

A lire ce roman, || *on croirait tous les hommes des scélérats.*

3. Une *proposition relative au conditionnel :*

Celui || ***qui te verrait désespérer ainsi*** || *douterait de ton courage.*

277. SUBORDONNÉE DE COMPARAISON

La subordonnée *complément circonstanciel de comparaison* établit entre la principale et la subordonnée une *comparaison*, un *rapport de proportion, d'égalité* ou *d'inégalité* :

Je le retrouvais ***aussi*** *souriant* || ***que je l'avais connu jadis.***
Que je l'avais connu jadis est une proposition subordonnée conjonctive, **complément de comparaison** de **je le retrouvais aussi souriant.**
Comme on fait son lit || *on se couche.*
Comme on fait son lit est une proposition subordonnée conjonctive, **complément de comparaison** de **on se couche.**

278. Les différentes formes.

CONJONCTIONS	MODES	EXEMPLES
1. *Comparaison :* **de même que, ainsi que, tel que, comme.**	Indicatif ou Conditionnel.	*La famille en groupe allait se promener jusqu'à la jetée,* || ***ainsi qu'elle le faisait chaque dimanche.***
2. *Égalité* ou *inégalité :* **aussi... que, autant... que, plus (moins)... que, autre... que.**	Indicatif ou Conditionnel.	*Jacques est aussi bavard* || ***que son frère est taciturne.*** *Leur amitié fut courte* ***autant*** || ***qu'elle était rare.***
3. *Proportion :* **d'autant plus... que, dans la mesure... où, à mesure que.**	Indicatif.	*Nous étions* ***d'autant plus*** *inquiets* || ***que le bois devenait maintenant plus épais.***

REMARQUES :

1. Les propositions de comparaison n'ont souvent pas de verbe exprimé; elles sont *elliptiques* (voir p. 134) :
Cela lui semblait lointain || ***comme un mauvais rêve.***

2. On appelle « comparative conditionnelle » la proposition commençant par la conjonction *comme si* :
Ses trois fils étaient vêtus tous de même manière, || ***comme s'ils avaient porté un uniforme.***

279. Autre expression de la comparaison :

L'idée de comparaison peut être exprimée aussi par *deux propositions indépendantes juxtaposées* :
Plus j'examinais les preuves retenues contre lui, || *plus je le croyais innocent.*

280. SUBORDONNÉE PARTICIPIALE ou PARTICIPE ABSOLU

La *proposition subordonnée participiale* est formée d'un *participe présent* ou d'un *participe passé dont le sujet exprimé ne peut être rattaché grammaticalement à aucun mot de la proposition principale :*

Le beau temps revenant, || *nous pourrons reprendre nos sorties.*
Le beau temps revenant, **proposition participiale** formée du participe présent *revenant,* dont le sujet *beau temps* n'est rattaché à aucun mot de la principale.

La barrière une fois franchie, || *nous nous sommes trouvés dans un jardin.*
La barrière une fois franchie est une **proposition participiale** formée d'un verbe au participe passé *franchie,* dont le sujet *barrière* n'est rattaché à aucun mot de la principale.

La tanche rebutée, || *il trouva du goujon.*
La tanche rebutée, proposition participiale formée avec le participe passé *rebutée,* dont le sujet *tanche* n'est rattaché à aucun mot de la principale.

Au contraire, dans l'exemple suivant :

Ayant franchi la barrière, **nous** *nous sommes trouvés dans un jardin merveilleux,* il n'y a pas de proposition participiale, car le sujet de *ayant franchi* est *nous*, également sujet de la principale.

281. Fonctions.

La proposition participiale peut être *complément circonstanciel de :*

Temps.

Le silence rétabli, || *l'orateur prit la parole.*
Une fois ses mains lavées, || *il passa à table.*

Cause.

La pluie ayant cessé, || *nous avons pu reprendre notre route.*
La fatigue venant, || *il s'endormit.*

Concession.

Ses erreurs cependant démontrées, || *il s'obstinait dans son opinion.*

Condition.

Votre consentement une fois donné, || *nous pourrions aboutir.*
Cette erreur évitée, || *l'accident ne serait pas arrivé.*

NOTIONS DE VERSIFICATION

Ex. 6e : p. 138. — *Ex.* 5e : p. 136. — *Ex.* 4e-3e : p. 166.

282. Les vers français.

Les vers français ont trois caractéristiques essentielles :

1. Ils sont composés d'un certain nombre déterminé de syllabes; c'est la **mesure du vers;**
2. Ils sont terminés par une **rime,** répétition de la même sonorité à la fin de deux vers;
3. Ils ont un certain **rythme,** caractérisé par des pauses *(coupes)*, des syllabes accentuées *(accents rythmiques)* et certaines *sonorités.*

Nous partîmes cinq cents; || *mais par un prompt renf***ort**
Nous nous vîmes trois mille || *en arrivant au p***ort.**

Vers de 12 syllabes; **rime** *renf*-ort, *p*-ort; **coupe** à la moitié du vers; **accents rythmiques** sur les 3e, 6e, 10e, 12e syllabes.

283. La mesure du vers.

1. Le *nombre* de syllabes :

12 syllabes *(alexandrin).*

Quand ils eurent fini de clore et de murer,
On mit l'aïeul au centre en une tour de pierre (Hugo).

10 syllabes *(décasyllabe).*

Paresseusement parmi l'herbe vierge,
Nous étions couchés au pied d'un bouleau (P. de Nolhac).

8 syllabes *(octosyllabes).*

Comme le cygne allait nageant
Sur le lac au miroir d'argent (Banville).

6 syllabes.

De la rose charmante à l'ombre du rosier
Si mollement ouverte (A. de Noailles).

7 syllabes.

Quand les blés sont sous la grêle
Fou qui fait le délicat (Aragon).

3 ou 2 syllabes.

Sauve-moi
Joue avec moi
Oiseau (Prévert).

2. Le **compte** des syllabes :

a) Toutes les syllabes d'un mot comptent.

b) Règles de l'**e** muet :

Précédé d'une consonne et suivi d'une autre (ou de *h* aspiré), il compte pour une syllabe, sauf en fin de vers.
*Et **le** soir on lançait des flè**ches** aux étoiles* (Hugo).

Précédé d'une voyelle ou d'une consonne et devant une voyelle (ou un *h* muet), il s'élide et ne compte pas.
*Notre profond silenc**e** **a**busant leurs esprits* (Corneille).

Précédé d'une voyelle à l'intérieur d'un mot, il ne compte pas.
*Après, je châti**e**rai les railleurs, s'il en reste.* (Hugo).

c) ***-ent*** terminaison du pluriel précédé d'une voyelle ne compte pas :
*Tous ses fils regar**daient** trembler l'aïeul farouche* (Hugo).

d) Les groupes de voyelles *-ion, -ier, -iez* comptent en général pour une syllabe, mais l'usage est variable :
*La Ré-vo-lu-*ti-on *leur cri-ait : « Vo-lon-taires... «* (Hugo).
Et les pieds *sans sou-*liers (Hugo).

3. **L'hiatus.**

Lorsqu'il y a rencontre de deux voyelles et que la première ne s'élide pas, il y a *hiatus*. L'hiatus était évité dans la poésie du XVIIe et du XVIIIe siècle :
*Et, durant tout un jour, j'**ai** **eu** toute Venise* (H. de Régnier).

284. La rime.

La répétition de la même sonorité à la fin de deux vers est appelée *rime*; cette sonorité est une voyelle appuyée ou non par plusieurs consonnes :
*oubl-**i**, ennem-**i**;   armi-**stice**, ju-**stice**.*

L'orthographe des rimes peut être différente :
*accomp-**li**, dé-**lit**.*

1. **Nature** de la rime :

Masculine *(non terminée par un* e *muet).*
*Soudain, comme chacun demeurait inter**dit**,*
*Un jeune homme bien fait sortit des rangs, et **dit...*** (Hugo).

Féminine *(terminée par un* e *muet).*
*L'empereur, souriant, reprit d'un air tranquill**e** :*
*— Duc, tu ne m'as pas dit le nom de cette vill**e**?* (Hugo).

Les alexandrins terminés par une rime féminine ont 13 syllabes en comptant la dernière.

Depuis le XVIe siècle, on alterne les rimes masculines et les rimes féminines.

2. **Valeur** des rimes :

Pauvres *(voyelle seulement).*	*Destin**ée**, veill**ée**..*
Suffisantes *(voyelle + consonne ou consonne + voyelle).*	*Desti**née**, an**née**.*
Riches *(voyelle + consonne + voyelle, ou consonne + voyelle + consonne, ou davantage).*	*Des**tinée**, ma**tinée**.*

3. **Disposition** des rimes :

Plates :

a *Il est ainsi de pauvres c**œurs***
a *Avec, en eux, des lacs de p**leurs,***
b *Qui sont pâles comme les **pierres***
b *D'un cimet**ière*** (Verhaeren).

Croisées :

a *Depuis six mille ans la g**uerre***
b *Plaît aux hommes querell**eurs,***
a *Et Dieu perd son temps à **faire***
b *Les étoiles et les f**leurs*** (Hugo).

Embrassées :

a *Le soir ramène le sil**ence.***
b *Assis sur ces rochers dés**erts,***
b *Je suis dans le vague des **airs***
a *Le char de la nuit qui s'av**ance*** (Lamartine).

285. Le rythme.

1. La coupe.

A l'intérieur d'un vers, il y a une ou plusieurs pauses appelées **coupes.** La coupe de l'alexandrin se trouve en général après la 6e syllabe (*césure*); elle partage le vers en deux parties égales ou **hémistiches :**

Heureux ceux qui sont morts || pour la terre charnelle
Mais pourvu que ce fût || dans une juste guerre (Péguy).

Parfois, chez les poètes romantiques, l'alexandrin est divisé en trois parties par deux coupes :

Pluie ou bourrasque, || il faut qu'il sorte, || il faut qu'il aille (Hugo).

L'octosyllabe a sa coupe, en général, après la 3e ou la 4e syllabe, le décasyllabe après la 4e.

2. Le rejet ou enjambement.

Lorsque la phrase, ou la proposition, ne se termine pas avec le vers, mais empiète sur le vers suivant, il y a *rejet* ou *enjambement* :

Jubal, père de ceux qui passent dans les bourgs
Soufflant dans des clairons et frappant des tambours,
***Cria** : Je saurai bien construire une barrière* (Hugo).

Cria est en **rejet.**

3. **Les accents rythmiques.**

Dans un vers, il y a plusieurs syllabes accentuées **(accents rythmiques);** leur place, variable, et la nature des syllabes accentuées forment la musique du vers :

De la rumeur humaine et du monde oublieux,
Il regarde la mer, les bois et les collines (Leconte de Lisle).

286. Le poème.

Le *poème* est fait d'une suite de vers; ces vers peuvent être groupés en strophes, chaque strophe présente un sens complet et a son rythme propre.

Les **strophes** peuvent être des groupes de :

2 vers *(distique);*	5 vers *(quintain);*	8 vers *(huitain);*
3 vers *(tercet);*	6 vers *(sixain);*	9 vers *(neuvain);*
4 vers *(quatrain);*	7 vers *(septain);*	10 vers *(dizain).*

Les **poèmes à forme fixe** ont une structure déterminée : nombre de vers, de strophes, agencement des rimes, etc.

Ainsi, le **sonnet** est composé de 14 vers répartis en 2 *quatrains* (2 rimes) et 2 *tercets* (3 rimes) :

Comme le champ semé en verdure foisonne,	1er quatrain; *rimes :*	*a*
De verdure se hausse en tuyau verdissant,		*b*
De tuyau se hérisse en épi florissant,		*b*
D'épi jaunit en grain que le chaud assaisonne;		*a*
Et comme en la saison le rustique moissonne	2e quatrain; *rimes :*	*a*
Les ondoyants cheveux du sillon blondissant,		*b*
Les met d'ordre en javelle, et du blé jaunissant		*b*
Sur le champ dépouillé mille gerbes façonne :		*a*
Ainsi de peu à peu crût l'Empire romain,	1er tercet; *rimes :*	*c*
Tant qu'il fut dépouillé par la barbare main		*c*
Qui ne laissa de lui que ces marques antiques,		*d*
Que chacun va pillant : comme on voit le glaneur,	2e tercet; *rimes :*	e
Cheminant pas à pas, recueillir les reliques		*d*
De ce qui va tombant après le moissonneur.		e

(J. Du Bellay.)

La *ballade* et le *rondeau* sont aussi des poèmes à forme fixe.

LES TOLÉRANCES GRAMMATICALES

Dans les examens ou concours dépendant du ministère de l'Éducation nationale, qui comportent des épreuves spéciales d'orthographe, *il ne sera pas compté de fautes* aux candidats pour avoir usé des tolérances indiquées dans la liste annexée au présent arrêté (26 février 1901).

EXTRAITS DE LA LISTE

1. **Pluriel ou singulier. —** Dans toutes les constructions où le sens permet de comprendre le nom complément aussi bien au singulier qu'au pluriel, on tolérera l'emploi de l'un et l'autre nombre. Ex. : *Des confitures de* ***groseille*** *ou de* ***groseilles.***

2. **Pluriel des noms propres. —** On tolérera dans tous les cas que les noms propres précédés de l'article pluriel prennent la marque du pluriel. Ex. : *Les Corneille**s*** comme *les Gracque**s***. Il en sera de même pour les noms propres de personnes désignant les œuvres de ces personnes. Ex. : *Des Meissonier**s***.

3. **Pluriel des noms empruntés à d'autres langues. —** Lorsque ces mots sont tout à fait entrés dans la langue française, on tolérera que le pluriel soit formé selon la règle générale. Ex. : *Des exéat**s*** comme *des déficit**s***.

4. **Noms composés. —** Les noms composés pourront toujours s'écrire sans trait d'union. Ex. : *Pomme de terre, chef d'œuvre.*

5. **Accord du verbe précédé de plusieurs sujets non unis par la conjonction et. —** Si les sujets ne sont pas résumés par un indéfini tel que *tout, rien, chacun,* on tolérera toujours la construction du verbe au pluriel. Ex. : *Sa bonté, sa douceur le* ***font*** *admirer.*

6. **Adjectif construit avec plusieurs noms. —** Lorsqu'un adjectif qualificatif suit plusieurs noms de genres différents, on tolérera toujours que l'adjectif soit construit au masculin pluriel, quel que soit le genre du nom le plus voisin. Ex. : *Appartements et chambres* ***meublés.*** On tolérera aussi l'accord avec le nom le plus rapproché. Ex. : *Un courage et une foi* ***nouvelle.***

7. **Nu, demi, feu. —** On tolérera l'accord de ces adjectifs avec le nom qu'ils précèdent. Ex. : ***Nu*** ou ***nus*** *pieds, une* ***demi*** ou ***demie*** *heure* (sans trait d'union), ***feu*** ou ***feue*** *reine.*

8. **Participes passés invariables. —** Actuellement, les participes *approuvé, attendu, ci-inclus, ci-joint, excepté, non compris, y compris, ôté, passé, supposé, vu,* placés avant le nom auquel ils sont joints, restent invariables. On en tolérera l'accord facultatif, sans exiger l'application de règles différentes suivant que ces mots sont placés au commencement ou dans le corps de la proposition, suivant que le nom est ou n'est pas déterminé. Ex. : ***Ci joint*** ou ***ci jointes*** *les pièces demandées* (sans trait d'union entre *ci* et le participe); *je vous envoie* ***ci joint*** ou ***ci jointe*** *la copie de la pièce.*

9. **Adjectifs numéraux. —** *Vingt* et *cent.* On tolérera le pluriel de *vingt* et de *cent* même lorsque ces mots sont suivis d'un autre adjectif numéral. Ex. : *Quatre* ***vingt*** *dix* ou *quatre* ***vingts*** *dix hommes, quatre* ***cent*** *trente* ou *quatre* ***cents*** *trente hommes.*

Le trait d'union ne sera pas exigé entre le mot désignant les unités et le mot désignant les dizaines. Ex. : *Dix sept.*

10. **Accord du verbe précédé de plusieurs sujets unis par *ni, comme, ainsi que* et autres locutions équivalentes. —** On tolérera toujours les verbes au pluriel. Ex. : *Ni la douceur ni la force n'y* ***peuvent*** ou *n'y* ***peut*** *rien. Le chat ainsi que le tigre* ***sont des carnivores*** ou ***est un carnivore.***

11. **Accord du verbe quand le sujet est un mot collectif. —** Toutes les fois que le collectif est accompagné d'un complément au pluriel, on tolérera l'accord avec le complément. Ex. : *Un peu de connaissances* ***suffit*** ou ***suffisent.***

12. **Concordance des temps. —** On tolérera le présent du subjonctif au lieu de l'imparfait dans les propositions subordonnées dépendant de propositions dont le verbe est au conditionnel présent. Ex. : *Il faudrait qu'il* ***vînt*** ou *qu'il* ***vienne.***

13. **Participe passé. —** Pour le participe passé construit avec l'auxiliaire *avoir,* lorsque le participe passé est suivi soit d'un infinitif, soit d'un participe présent ou passé, on tolérera qu'il reste invariable, quels que soient le genre et le nombre des compléments qui précèdent. Ex. : *Les fruits que je me suis* ***laissé*** ou ***laissés*** *prendre; les sauvages que l'on a* ***trouvé*** ou ***trouvés*** *errant dans les bois.*

Dans le cas où le participe passé est précédé d'une expression collective, on pourra, à volonté, le faire accorder avec le collectif ou avec son complément. Ex. : *La foule d'hommes que j'ai* ***vue*** ou ***vus.***

14. ***Ne*** **dans les propositions subordonnées. —** On tolérera la suppression de la négation *ne* dans les propositions subordonnées dépendant de verbes ou de locutions signifiant : *empêcher, craindre, douter, il s'en faut que.* Ex. : *Empêcher qu'on vienne ou* ***ne*** *vienne.*

Ex. 5e : p. 138.
Ex. 4e-3e : p. 174.

PHONÉTIQUE

La phonétique étudie la nature des sons, leur évolution et leur répartition dans la langue. En français, l'orthographe ne correspond pas toujours au son, et il est nécessaire de faire la différence entre les deux.

SONS notation phonétique		EXEMPLES	LETTRES orthographe
[a]	**a** bref	*lac, cave, agate, béat, maille, soi, moelle, moyen, il plongea.*	a, (e) a, a(i), oi, oy, oe (= oua).
[ɑ]	**a** long	*case, fable, sabre, flamme, âme, roi, froid, poêle, douceâtre.*	a, â, a (i), (e) â, oi, oe (= oua).
[e]	**é** fermé	*année, pays, désobéir, œdème, je mangeai.*	é, ay, e (i), eai, ai, oe.
[ɛ]	**è** ouvert	*bec, poète, blême, Noël, il peigne, il aime, fraîche, j'aimais.*	è, ê, e, ë, ei, ai, aî.
[i]	**i** bref ou long	*île, mille, épître, tu lis, partir, cyprès, dîner, naïf.*	i, î, y, ï.
[ɔ]	**o** ouvert bref ou long	*note, robe, mode, col, roche, Paul.*	o, au.
[o]	**o** fermé bref ou long	*coaguler, drôle, aube, agneau, sot, pôle.*	o, ô, au, eau.
[u]	**ou**	*outil, mou, pour, joue, goût, août.*	ou, oû, aoû.
[y]	**u**	*usage, luth, mur, uni, sûr, il eut*	u, û, eu.
[œ]	**eu** ouvert bref ou long	*peuple, bœuf, chevreuil, œil, jeune.*	eu, oeu, eu (i) oe (i).
[ø]	**eu** fermé bref ou long	*émeute, jeûne, aveu, nœud.*	eu, eû, oeu.
[ə]	**e**	*me, remède, grelotter, vous seriez.*	e
[ɛ̃]	**è** nasalisé ouvert	*timbre, instant, impie, main, bien, saint, dessein, lymphe, syncope.*	im, in, en, aim, ain, ein, ym, yn.

[ɑ̃]	**a** nasalisé	*champ, ange, emballer, ennui, vengeance, Laon.*	am, an, em, en, ean, aon.
[ɔ̃]	**o** nasalisé	*plomb, ongle, mon, uncial.*	on, om, un.
[œ̃]	**eu** nasalisé	*parfum, aucun, brun, à jeun.*	un, um, eun.
[j]	**y** (e)	*yeux, lieu, fermier, liasse, piller.*	y, i, ll (+ voyelle)
[ɥ]	**u** (i)	*lui, nuit, suivre, huit, enduit, huer.*	u (+ voyelle)
[w]	**ou** (i)	*oui, ouest, miaou, moi, squale.*	ou (+ voyelle), oi (= oua), u (a).
[p]	**pe**	*prendre, apporter, stop.*	p, pp.
[b]	**be**	*bateau, combler, aborder, abbé, snob.*	b, bb.
[d]	**de**	*dalle, addition, cadenas.*	d, dd.
[t]	**te**	*train, théâtre, vendetta.*	t, th, tt.
[k]	**ke**	*coq, quatre, carte, kilo, squelette, accabler, bacchante, chrome, chlore.*	q, c (+ a, o, u), k, qu, cc, cch, ch (+ r, l).
[g]	**gue**	*guêpe, diagnostic, garder, gondole.*	g (+ a, o), gu, gn.
[f]	**fe**	*fable, physique, fez, chef.*	f, ph.
[v]	**ve**	*voir, wagon, ayiver, révolte.*	v, w.
[s]	**se**	*savant, science, cela, ciel, façon, ça, reçu, patience, façade.*	s, sc, ss, c (+ e, i), ç (+ a, o, u), t (i).
[z]	**ze**	*zèle, azur, réseau, rasade.*	z, s (entre voyelles).
[ʒ]	**je**	*jabot, déjouer, jongleur, âgé, gigot.*	j, g (+ i, e).
[ʃ]	**che**	*charrue, échec, schéma, shah.*	ch, sch, sh.
[l]	**le**	*lier, pal, intelligence, illettré, calcul.*	l, ll.
[m]	**me**	*amas, mât, drame, grammaire.*	m, mm.
[n]	**ne**	*nager, naine, neuf, dictionnaire.*	n, nn.
[r]	**re**	*rare, arracher, âpre, sabre.*	r, rr.
[ɲ]	**gne**	*agneau, peigner, baigner, besogne.*	gn.

Il n'est pas tenu compte dans ce tableau des exceptions; on remarquera par ailleurs que plusieurs graphies correspondent à des prononciations différentes. Seuls l'usage et le dictionnaire pourront indiquer la prononciation la plus courante dans les cas douteux.

La lettre **x** correspond à la prononciation ks et gs : *axe, exemple.*

La lettre **h** ne se prononce pas, et ne comporte aucune aspiration. Le ***h*** dit ***aspiré*** empêche les liaisons.

Les accents

Il y a, en français, trois accents :
l'*accent aigu*, l'*accent grave*, l'*accent circonflexe.*

L'**accent aigu** indique un **é** fermé (sauf devant **d, z, f, r,** finals, où l'on écrit **e** sans accent) :

fermé, solidarité, fée, ému.

L'**accent grave** indique un **è** ouvert; sur *a* et *u* il distingue les homonymes :

mère, décès, il *mène; là* distingué de *la, où* de *ou.*

L'**accent circonflexe** indique une voyelle dont la prononciation a été allongée par la chute ancienne d'une consonne (s) ou d'une voyelle (e).

bâtir (de bastir), *château* (de chasteau), *sûr* (de seur)

Le tréma

Le *tréma* (¨) se met sur e, *i, u* pour indiquer que l'une de ces voyelles est détachée, dans la prononciation, de celle qui la précède : *aiguë* se prononce [gy] et non pas [gə] :

Saül, haïr.

La cédille

La *cédille*, qui se place sous le *c* (ç) devant *a, o, u,* indique que celui-ci doit se prononcer (s) :

çà, façon, reçu, nous plaçons, il plaçait.

L'apostrophe

L'*apostrophe* marque l'élision d'une voyelle devant la voyelle du mot qui suit (celle-ci peut être précédée d'un *h* muet) :

j'apprends, l'aurore, jusqu'à minuit, je t'aide.

Le trait d'union

Le *trait d'union* se met entre chaque terme d'un mot composé :

arc-en-ciel, garde-fou, va-et-vient.

Mais certains mots composés n'ont pas de trait d'union :

pomme de terre

Il se place aussi entre le verbe et le pronom sujet inversé :

Venez-vous? Avez-vous vu?

Les liaisons

Certaines consonnes finales ne se prononcent pas lorsque le mot est isolé; mais lorsque le mot suivant commence par *une voyelle* ou un *h muet*, elles peuvent dans certains cas se prononcer. On fait alors une *liaison.*

avant, trop, nous sommes
[avɑ̃] [tro] [nusɔm].

Mais on dira :

il est arrivé avant elle
[avɑ̃tɛl].

ces souliers sont trop étroits
[tropetrwa].

Parfois ces consonnes changent de prononciation ; *d* devient *t*, *g* devient *k*, *s* et *x* deviennent *z* :

nous sommes ennuyés; [nusɔmzɑ̃nɥije] — *il m'a fourni un grand appui.* [grɑ̃tapɥi]

La liaison se fait naturellement lorsque la consonne était déjà prononcée :

il doit partir en voyage. [partirɑ̃vwajaʒ]

En général, la *liaison* se fait entre les *mots unis par le sens* et qui forment un *groupe*.

Ainsi, la **liaison se fait toujours entre :**

le **verbe** et le **pronom sujet :**
ils‿ont perdu; on‿a oublié.

le **verbe** et le **nom attribut** ou l'**adjectif attribut :**
il est‿heureux; ils sont‿étudiants.

le **verbe** et l'**infinitif objet direct :**
il veut‿aller à Paris.

le **verbe** et son *auxiliaire :*
tu es‿ému; nous‿avons‿attrapé la balle.

le **nom** et l'**article :**
les‿enfants; les‿hommes.

le **nom** et l'**adjectif épithète,** ou le **pronom :**
mes‿autres‿amis; les petits‿enfants.

la **préposition** et son **régime :**
[sauf *hors, selon, vers, envers*]
ceci s'est passé sans‿incident.

l'**adverbe** et le **mot modifié :**
tout‿entier.

C'est, quand, dont et le **mot suivant :**
Le livre dont‿il me parle, quand‿il vient, c'est‿à vous que je le conseille.

La liaison se fait dans les locutions ou les expressions toutes faites :
de plus‿en plus; mot‿à mot.

La liaison ne se fait **jamais :**

Après un **s** dans les mots composés :
des arcs-en-ciel [arkɑ̃sjɛl].

Après la consonne finale d'un nom singulier (non prononcée) et l'épithète qui suit :
un poing || énorme.

Après la conjonction **et :**
et || il m'a dit.

Mais les liaisons sont souvent facultatives. La *tendance* dans la langue parlée est actuellement de les restreindre le plus possible; dans la langue du théâtre et celle des discours, on maintient au contraire un grand nombre de liaisons. Très souvent, on a les deux possibilités :

il va droit || au but ou *il va droit‿au but.*

Ex. 5e : p. 140 et 142.
Ex. 4e-3e : p. 172.

LE STYLE

Le style est l'**utilisation personnelle des éléments** constituants **de la langue** (vocabulaire, morphologie, syntaxe, phonétique). Si son étude ne relève pas d'un exposé systématique, elle doit cependant reposer sur la connaissance de principes généraux et de procédés usuels.

Niveaux de langue

On distingue en français plusieurs niveaux de langue différents.

On n'écrit pas une lettre comme on rédige un exposé destiné à une publication ou un discours officiel. On ne s'adresse pas à un ami comme à un supérieur. On n'entend pas dans la rue, sur un chantier ou dans la cour d'une école le même vocabulaire ni la même syntaxe que dans un salon ou pendant un cours professoral. On ne parle pas toujours la même langue lorsque l'on converse avec des personnes de fonctions ou d'âges différents.

Il y a : une **langue écrite** et une **langue parlée.**
Chacune comporte plusieurs niveaux :

langue parlée	**familière** **populaire** **argotique**
langue écrite	**académique** **surveillée** (ou style soutenu).

Ces différences entre les niveaux de la langue parlée et de la langue écrite s'expriment dans :

1. Le vocabulaire

Certains *synonymes* appartiennent à des niveaux de langue différents :

trépas et *mort*	*époux* et *mari*
épouse et *femme*	*convier* et *inviter*
courroux et *colère*	*vêtir* et *habiller.*

On écrira en style soutenu que :

« des bruits infamants se répandaient, qui mettaient en cause sa réputation ».

On dira que :

« le voisinage ne tarissait pas de commérages sur son compte ».

2. **La morphologie**

La langue écrite use ordinairement du passé simple.
La langue parlée ne se sert plus dans le même sens que du passé composé

La langue parlée use plus souvent que la langue écrite du semi-auxiliaire *aller* pour exprimer le futur.

La langue parlée évite parfois le verbe de la troisième conjugaison pour le remplacer par un verbe de la première :

émouvoir est remplacé par *émotionner*,
choir a été remplacé par *tomber*.

3. **La syntaxe**

La langue écrite tend à traduire par la subordination des relations logiques que la langue parlée exprime volontiers par la coordination ou la simple juxtaposition.

Ainsi on écrira :

Comme il pleut encore, les inondations vont s'aggraver.
Il pleut tant que les inondations vont s'aggraver.

mais on dira :

Il pleut toujours : les inondations vont s'aggraver.

La langue écrite emploie le subjonctif après les verbes exprimant négativement une pensée, la langue parlée se sert de l'indicatif :

je ne pense pas qu'il vienne;
je ne pense pas qu'il viendra.

Pour juger le style d'un auteur, il faut tenir compte de la langue qu'il emploie, et qui varie selon le genre littéraire qu'il a adopté ou le personnage qu'il fait parler. Le même écrivain peut se servir de plusieurs niveaux de langue à l'intérieur de la même œuvre littéraire.

Langues techniques

A côté de la langue usuelle, écrite ou parlée, chaque groupe professionnel a sa langue technique : les médecins, les professeurs, les typographes, les agents des chemins de fer, les métallurgistes, les chimistes ont chacun leur vocabulaire. Toute science ou toute technique crée ses mots. Ceux-ci sont rarement compris de ceux qui n'appartiennent pas à cette profession ou qui n'ont pas étudié cette science.

En chirurgie, on dira une *appendicectomie* là où le profane ne voit qu'une opération de l'appendicite.

En typographie, tous les caractères portent le même nom *(lettre)* pour le profane, mais le technicien distingue le « *plantin* » du « *garamond* ».

En agriculture, nous connaissons tous la charrue, mais seul le technicien sait ce qu'est un « aéro-engrangeur ».

Les mots techniques ont la qualité d'être précis, de ne convenir qu'à un seul objet ou une seule opération. Les écrivains peuvent les utiliser dans une intention particulière.

Français régionaux

Il existe en France des différences entre les diverses régions du pays, sur le plan de la prononciation, du vocabulaire et même de la morphologie ou de la syntaxe. Ce sont des survivances des patois. Il faut d'ailleurs distinguer ces « français régionaux » des « langues » proprement dites que l'on parle encore en France, comme le provençal, le breton, le basque ou l'alsacien, et des dialectes, comme le béarnais ou le picard, qui disparaissent peu à peu.

Ces différences régionales se manifestent dans :

1. La phonétique

Le Parisien prononce le ***a*** plus long et plus grave que le Marseillais, qui confond, lui, ***a*** bref et ***a*** long; ***pâte*** et ***patte*** ne sont pas toujours distingués à Marseille; mais à Paris on dit souvent *« Le Havre »* avec un ***â***.

Dans le Midi, on confond souvent **é** et **è**; à Paris on prononce souvent **è** ce qui ailleurs est prononcé ***é***. ***Mais*** est prononcé ***mé*** ou ***mè*** suivant les régions.

2. Le vocabulaire

Le vocabulaire qui désigne les objets usuels et les animaux est souvent différent d'une région à l'autre; on a pu dresser des atlas où l'on indique pour chaque région le mot employé.
Ainsi on dit *abeille, mouche à miel, avette* suivant que l'on se trouve dans telle ou telle province.

3. La morphologie

Le passé simple, qui a disparu de la langue parlée dans le Nord de la France et à Paris, se maintient dans l'Ouest et surtout dans le Midi.

4. La syntaxe

Certains français régionaux remplacent le subjonctif dans les propositions complétives par le conditionnel :

je ne pense pas qu'il vienne;
je ne pense pas qu'il viendrait.

Certains écrivains usent largement de ces différences régionales.

Archaïsme et néologisme

Le français n'est plus le même au XXe siècle qu'il était au Moyen Age, au XVIIe siècle et même au XIXe siècle. Des mots, des expressions changent de sens, vieillissent ou disparaissent; d'autres apparaissent.
Lorsqu'un auteur se sert ainsi de ce qui appartient à une époque antérieure, on dit qu'il fait un *« archaïsme »*; lorsqu'il use intentionnellement d'une construction ou d'une expression nouvelle, on dit qu'il emploie un *« néologisme »*.

1. **Vocabulaire**

Le mot « ***ennui*** » avait au XVIIe siècle le sens de *« grand chagrin »*, causé, par exemple, par un deuil. L'écrivain qui s'en servirait aujourd'hui en ce sens ferait un archaïsme.

Moult signifiait *« beaucoup »* au XVe siècle; lorsqu'on s'en sert, ce ne peut être que par archaïsme, dans une intention plaisante.

Lorsque l'abbé de Saint-Pierre se sert pour la première fois au XVIIIe siècle du terme « ***bienfaisance*** », il crée un *néologisme.*

Lorsque Mirabeau emploie en 1756 « ***civilisation*** », il fait un néologisme, car on ne rencontre pas le mot avant cette date.

2. **Morphologie**

L'emploi de l'imparfait ou du plus-que-parfait du subjonctif dans la langue parlée donne au style un aspect recherché; certaines formes de ces temps ont vieilli, alors qu'elles restaient usuelles au XVIIe siècle.

3. **Syntaxe**

Le pronom relatif pouvait être au XVIIe siècle séparé de son antécédent; il est habituel aujourd'hui que cet antécédent précède immédiatement le relatif. Certains écrivains ont repris cette construction.

Il est des écrivains comme La Fontaine qui usent intentionnellement de l'archaïsme et mêlent ainsi plusieurs langues. L'explication du style d'un auteur doit tenir compte de l'évolution de la langue.

Procédés de style

Les procédés ou les effets de style mettent en jeu différents aspects de la langue :

L'**image**

L'image est une comparaison entre deux objets rapprochés l'un de l'autre pour une analogie de forme, de couleur, de poids, etc. On dit ainsi la *feuille d'un livre* par comparaison avec la *feuille d'un arbre.*

C'est un procédé de style qui peut être une comparaison (emploi de *comme, ainsi que, de même*, etc.) ou une métaphore (sans mot de comparaison) :

Quand le ciel bas et lourd pèse comme un couvercle... (Baudelaire.)
Les choses qui chantent dans la tête... (Verlaine.)

La **transposition**

Elle consiste à faire passer un mot du domaine qui lui est propre dans un domaine très proche.
On dira ainsi une *odeur grasse,* par analogie avec le sens du toucher :
le sourire noir et gluant (Proust).

Le **transfert de sens**

Le transfert de sens donne à un mot le sens d'un autre qui lui est proche par la forme. Ainsi *fruste* a pris le sens de « grossier » par rapprochement avec *rustre*. Ce lien peut être aussi logique :

> une *voile* à l'horizon, c'est un *navire*.
> La « *voile* », partie du navire, peut indiquer le « *navire* » tout entier.

La **périphrase**

La périphrase consiste à remplacer le mot précis par une définition, afin d'éviter la répétition monotone du même terme ou pour ajouter une idée à l'évocation du mot simple.

Si je dis *l'auteur des* Châtiments *rentra d'exil* au lieu de *V. Hugo revint d'exil*, j'insiste sur son opposition au régime de Napoléon III, puisque *les Châtiments* ont été écrits contre le coup d'Etat de 1851.

La **variété**

La variété consiste à remplacer un mot par un synonyme, afin d'en éviter la répétition. Comme aucun mot n'est rigoureusement synonyme d'un autre, la synonymie peut avoir pour intention de donner plus d'importance à l'expression, plus d'abondance (redondance), ou de préciser par une série d'équivalents le premier terme :

> *Nos interprétations trop fines et subtiles* (Sainte-Beuve);
> *C'est le courbement, la courbure, la courbature, l'inclinaison de l'écrivain sur sa table de travail* (Ch. Péguy).

L'**accumulation**

L'accumulation consiste dans une énumération dont l'ensemble pourrait être résumé par un seul mot et dont l'effet est de donner une idée de grandeur ou de force.

> *Déroute; enfants, vieillards, bœufs, moutons; clameur vaine.*
> (Victor Hugo.)

L'**inversion**

L'inversion consiste à présenter les mots dans un ordre qui n'est pas celui de la langue commune :

> *La chambre est pleine d'ombre; on entend vaguement*
> *De deux enfants le triste et doux chuchotement.* (A. Rimbaud.)

Ce procédé se rencontre particulièrement en poésie.

INDEX ALPHABÉTIQUE

Les chiffres renvoient aux pages.

A (prononciation) . . . 159
à préposition . . . 128
absoudre . . . 100
abstraire (sur *extraire*) . . . 103
accent . . . 161
accentuation . . . 161
accentué (Pronom personnel) . . . 50
accompagnement (Compl. circ. d') . . 34
accord de l'adjectif . . . **40**
de l'adjectif composé . . . 40
de l'adjectif épithète . . . 45
de l'adjectif attribut . . . 45
de l'adjectif numéral . . . 74
de l'adjectif de couleur . . . 40
du nom . . . **19**
du participe passé . . . **117**
employé adjectivement . . . 117
avec l'auxiliaire **être** . . . 117
avec l'auxiliaire ***avoir*** . . . 118
suivi d'un infinitif . . . 118
des verbes impersonnels . . . 119
des verbes pronominaux . . . 120
pesé, coûté, valu, vécu . . . 119
du verbe avec le sujet . . . 115
avec plusieurs sujets . . . 115
avec *beaucoup, la plupart* . . . 115
avec un collectif . . . 115
du verbe impersonnel suivi d'un sujet . . . 116
acheter . . . 90
acquérir . . . 96
active (Forme) . . . 78
adjectifs
composés . . . 40
de couleur . . . 40
démonstratifs . . . 57
indéfinis . . . 69
interrogatifs . . . 67
numéraux . . . 74
possessifs . . . 55
adjectif qualificatif . . . **37**
formation du féminin . . . 37
formation du pluriel . . . 39
fonction . . . 44
degrés . . . 42
syntaxe d'accord . . . 45
adjectif verbal . . . **114**
accord . . . 114
formes . . . 114
adverbes . . . **121**
d'affirmation . . . 124
d'interrogation . . . 125
de lieu . . . 123
de manière . . . 121
de négation . . . 124
de quantité . . . 122
de temps . . . 123
afin de, afin que . . . 145
agent (Complément d') . . . 35
aimer . . . 86
ainsi que . . . 150
air (Avoir l'air) . . . 41
aller . . . 91
aller (auxiliaire) . . . 91
alors que . . . 143
alvéole . . . 20
américains (Mots) . . . 6
amour . . . 20
anglais (Mots) . . . 6
antécédent du pronom relatif . . . 60
apercevoir (sur *décevoir*) . . . 98
apostrophe (orthographe) . . . 161
apostrophe (fonction) . . . 29
appas . . . 23
après-midi . . . 20
apposition . . . 29
aquilin . . . 41
arabes (Mots) . . . 6
archaïsme . . . 165
archi . . . 42
argot . . . 163
article . . . **46**
contracté . . . 46
défini . . . 47
élidé . . . 46
indéfini . . . 48
partitif . . . 48
assaillir . . . 96
asseoir . . . 99
assez . . . 122
astreindre (sur *craindre*) . . . 101
atones (Pronoms) . . . 50
atteindre (sur *craindre*) . . . 101

attribut (Adjectif) 44
attribut (Nom) 31
du sujet 31
de l'objet 31
introduit par une préposition..... 31
attribution (Complément d')...... 36
au 46
aucun 70
autre 70
autrui 70
auxiliaire 82
avoir 83
être 84
de temps 82
de mode 82
semi- 82
avec 127
avoir 83
-ayer (verbes en) 90

B (prononciation) 160
battre et ses *composés* 99
beau 41
beaucoup 122
bel 41
bénir 91
bien 121
bien que 147
boire 102
bon 38
bouillir 97
braire (sur *extraire*) 103
but (Complément circ. de) 36
(Proposition subord. de) 145

C (prononciation) 160
caduc 38
car 41
cardinaux (Adjectifs numéraux).... 74
cause (Compl. circ. de) 35
(Proposition sub. de) 144
ce 57, 58
ce que (interrogatif) 66
cédille 161
ceindre (sur *craindre*) 101
cela 57, 58
celui 58
celui-ci 58
celui-là 58
cent 75
-cer (Verbes en) 90
certain 70
c'est, ce sont 50
chacun 70
changements de sens 23
chaque 70
choir 99
ci-inclus 41
ci-joint 41
ciel 21
circonstancielles (Subordonnées) .. 142
clore 103
collectif (Accord du verbe avec un). 115
combien 122
comme 130
comparaison (Subord. circ. de)... 150
comparatif (de l'adjectif) 42
(de l'adverbe) 122
irrégulier 43
complément
de l'adjectif 28
d'agent 35
d'attribution 36
circ. d'accompagnement 34
de but 36
de cause 35
d'intérêt 36
de lieu 32
de manière 33
de mesure 34
de moyen 35
de prix 34
de temps 33
du nom 28
d'objet direct 30
d'objet indirect 30
d'objet (Proposition) 137
composition (des mots) 7
concession (Subord. circ. de) 147
concevoir (sur *décevoir*) 98
conclure 101
concordance des temps 138
condition (Subord. circ. de) 148
conditionnel (mode) 111
(temps) 111
conditionnelle (Subord.) 148, 149
conduire et ses *composés* 102
confire (sur *dire*) 102
conjonctions de coordination 129
de subordination 130
conjugaison 85
groupes 85
verbes de la 1re conjug. régulière. 86
irrégulière 90, 91
(cer, ger, eler, eter, yer) ... 90
pronominale 78
verbes de la 2e conjug. régulière. 91

verbes de la 2e conjug. irrégulière. 91
verbes de la 3e conjug. en ***ir*** 96
en ***oir*** 98
en ***re*** 100
verbes défectifs de la 3e conjug. 99
verbes passifs 78
Conjugaison interrogative 85
connaître (sur *paraître*) 101
conquérir (sur *acquérir*) 96
conséquence (Sub. circ. de) 146
consonnes 160
construire (sur *conduire*) 102
contracté (Article) 46
contraindre (sur *craindre*) 101
contredire (v. *dire*) 102
coordination (Conjonctions de) 129
coordonnées (Propositions) 132
coudre et ses *composés* 100
courir et ses *composés* 97
craindre 101
croître et ses *composés* 101
cueillir et ses *composés* 96
cuire (sur *conduire*) 102

D (prononciation) 160
dans 127
de 128
décevoir 98
déchoir 99
défaillir (sur *assaillir*) 96
défectifs (Verbes) 80
défendre 100
défini (Article) 47
degrés de signification de l'adjectif. 42
délices 20
demi 41
démonstratifs (Adjectifs) 57
(Pronoms) 58
dérivation (des adjectifs) 7
(des adverbes) 7
(des noms) 7
(des verbes) 7
descendre (sur *tendre*) 100
détruire (sur *conduire*) 102
devoir 98
dire et ses *composés* 102
discours direct 141
indirect 141
dissoudre (sur *absoudre*) 100
divers (indéfini) 70
donc 41
dont 62
dormir et ses *composés* 96
doublet 5

E (prononciation) 159
é — 159
è — 159
échoir 99
éclore 103
écrire 102
-eler (Verbes en) 90
élidé (article) 46
ellipse 134
elliptiques (Propositions) 134
émouvoir (sur *mouvoir*) 98
en (préposition) 126
(pronom personnel, adverbe) 52
enclore (sur *clore*) 103
enfreindre (sur *craindre*) 101
enfuir (s') [sur *fuir*] 96
enlever 91
enquérir (s') [sur *acquérir*] 96
envoyer 91
épandre (sur *tendre*) 100
épithète (Adjectif) 44
espagnols (Mots) 6
est-ce que 125
et 129
-eter (Verbes en) 90
être 84
être (auxiliaire) 84
être aimé 88
eux 50
exclamatifs (Adjectifs) 66
(Pronoms) 66
exclure (sur *conclure*) 101
explétif (Pronom) 54
extra 42
extraire 103
-eyer (Verbes en) 90

F (prononciation) 160
faillir 97
faire et ses *composés* 102
faire (Accord du participe passé de). 118
falloir 99
familles de mots 8
favori 38
feindre (sur *craindre*) 101
féminin des adjectifs 38
des noms 19
irrégulier des adjectifs 38
irrégulier des noms 19
fendre (sur *tendre*) 100
feu 41
finales (propositions) 145
finir 87
fleurir 91

fondre (sur *tendre*) 100
formation populaire 5
savante 5
forme active 78
passive 78
pronominale 78
forme et fonction
des adj. qualificatifs 44
des adj. et des pronoms 49
démonstratifs 57
indéfinis 65
interrogatifs 66
numéraux 74
relatifs 60
des pronoms personnels 50
fou 41
français (Histoire du) 5
(Prononciation du) 160
frire 103
fuir et ses *composés* 96
futur de l'indicatif 105
antérieur 108
Conditionnel employé comme ... 111

G (prononciation) 160
garde 23
gaulois (mots) 5
geindre (sur *craindre*) 101
genre des noms 18
des pronoms personnels 48, 51
gens 20
-ger (Verbes en) 90
gérondif 114
gésir 97
grand et ses *composés* 41
guillemets 16

H (prononciation) 160
haïr 91
hébreu 41
homonymes 14

I (prononciation) 159
il (pronom) 49, 51
il y a 121
imparfait de l'indicatif 106
impératif (sens et valeurs) 110
impersonnels (Verbes) 81
incises (Propositions) 133
inclure (sur *conclure*) 101
indéfini (Article) 46
(Adjectif et pronom) 69
indépendantes (Propositions) 132
indicatif (temps) 104
infériorité (comparatif) 42
(superlatif) 42
infinitif (mode et temps) 112
(Fonctions de l') 113
(valeurs particulières) 112
infinitive (Proposition) 139
instruire (sur *conduire*) 102
interjection 131
interrogatifs (Adjectifs et pronoms). 65
interrogative (Conjugaison) 85
intransitifs (Verbes) 77
inversion du sujet 26, 27
irréel (Mode) 111
italiens (Mots) 6

J (prononciation) 159
je 49
jeter 90
joindre 101
juxtaposées (Propositions) 132

L (prononciation) 160
la 46, 49
là 123
laisser (Accord du participe de) 118
langue d'oc 5
langue d'oïl 5
latin populaire 5
le article 46
pronom personnel 49, 51
lequel pronom relatif 63
adjectif relatif 63
pronom et adj. interrogatif 67
les article 46
pronom personnel 49
lettres 159
leur 50
liaison 162
lieu (Compl. circ. de) 32
lire et ses *composés* 102
locutions adverbiales 121
conjonctives 129
prépositives 126
verbales 76
long 37
lorsque 143
luire et ses *composés* (sur *nuire*) 101
l'un et l'autre 71
(Accord du verbe avec) 115

M (prononciation) 160
mais 41
majesté (Pluriel de) 51
malgré que 147
manger 90
manière (Compl. circ. de) 33
maudire, *médire* (v. *dire*) 102
meilleur 43
même 72
même si 148
mentir 96
mesure (Compl. circ. de) 34
mettre et ses *composés* 100
mil 75
mode (du verbe) 80
  conditionnel 111
  impératif 91, 92, 110
  impersonnel 81
  indicatif 104
  infinitif 112
  participe 114
  personnel 81
moi 50
moindre 43
moins 122
mol 41
mordre (sur *tendre*) 100
mots (Famille de) 8
  composés 7
  dérivés 7
  d'origine grecque 7
  d'origine latine 5
mou 41
moudre 100
mourir 97
mouvoir et ses *composés* 98
moyen (Compl. circ. de) 35

N (prononciation) 160
ne 124
néerlandais (Mots) 6
négation (Adverbes de) 124
néologisme 165
neutre (Pronom) 51
ni 129
nom commun 17
  (définition) 17
  fonctions 24
  genre 18
  infinitif pris comme 49
  propre 22
nom composé 22
  d'origine étrangère 21
nombre (Noms de) 75
nombre des noms 18
nombre des verbes 81
non 124
notre 55
nôtre 56
nous 51
nouveau-né 40
nuire 101
nul 70
numéraux (adjectifs) 74

O (prononciation) 159
objet direct (Complément d') 30
  indirect (Complément d') 30
oc (Langue d') 5
offrir 93
oh 131
oïl (Langue d') 5
oindre 103
on 71
or 129
ordinaux (Adjectifs) 74
orgue 20
orientaux (Mots) 6
orthographe **161**
ôté 41
ou 129
où 63
oui 124
outre que 144
ouvrir 96

P (prononciation) 160
par 127
paraître et ses *composés* 101
parce que 144
parenthèses 16
participe (mode) 114
  (Sens général du) 114
  participe passé (sens) 114
  participe présent (sens) 114
participe passé (accord du) **117**
  avec ***avoir*** 118
  avec **être** 118
  des verbes impersonnels 119
  des verbes pronominaux 120
  suivi d'un infinitif 118
  avec *faire* 118
  avec *laisser* 118
  avec *en* 118
  avec *le* 119
  de *couru*, *coûté*, *pesé*, *valu*, *vécu* 119

participiale (Subordonnée) 151
partitif (Article) 48
partir et ses *composés* 97
pas 124
passé antérieur........ 107
composé 107
simple 107
passive (Forme) 78
payer........ 90
peindre (sur *craindre*) 101
peler 90
pendant que 143
pendre (sur *tendre*) 100
percevoir (sur *décevoir*)........ 98
perclus 41
perdre (sur *tendre*)........ 100
personne (pronom) 71
personnes (verbe) 81
pesé (accord du participe) 119
phonétique **159**
phrase 132
place du complément de l'adjectif ... 28
du nom sujet........ 26
du pronom personnel complément. 53
du pronom personnel sujet 53
du pronom relatif 63
placer 90
plaindre (sur *craindre*) 101
plaire (sur *taire*) 102
pleuvoir........ 99
pluriel des adjectifs 39
des adjectifs composés 40
des adjectifs de couleur 40
des noms........ 21
des noms composés........ 22
des noms étrangers........ 21
des noms propres 22
de politesse........ 51
plus........ 124
plusieurs 70
plus-que-parfait **108**
poindre 103
point (ponctuation) 16
point et virgule........ 16
points (Deux) 16
point d'exclamation 16
point d'interrogation........ 16
point (négation) 124
point (Etre sur le) 82
ponctuation **16**
portugais (Mots)........ 6
possessifs (Adjectifs et pronoms) ... 55
potentiel (Mode)........ 111
pour........ 126
pourvoir 98
pouvoir 98
préfixes (grecs)........ 11
(latins) 11
prendre et ses *composés*........ 100
prépositions (rôle et sens)........ 126
(répétition) 128
présent
impératif........ 110
indicatif 104
infinitif 112
participe 114
subjonctif........ 109
prévaloir (sur *valoir*)........ 98
prévoir (sur *voir*)........ 98
principales (Propositions)........ 133
promouvoir (sur *mouvoir*) 98
pronoms personnels........ **49**
accentués........ 50
atones 50
explétifs........ 54
genre 49
réfléchis........ 51
répétition........ 54
reprise........ 54
en, y........ 52
nous, vous........ 51
neutres : le, il, en, y........ 51
(Fonctions des) 50
sujet 50
complément 50
démonstratifs **58**
indéfinis........ **68**
interrogatifs........ **66**
relatifs **60**
pronominale (Forme)........ 78
pronominaux (Verbes) 79
réciproques........ 79
réfléchis........ 79
à sens passif........ 79
Accord du part. passé des........ 120
prononciation **159**
proposition
elliptique 134
indépendante 132
interrogative........ 140
principale 133
subordonnée infinitive 139
circ. de cause 144
de but 145
complétive........ 137
participe 151
relative 136

proposition de comparaison 150
de concession 147
de condition 148
de conséquence 146
de temps 143
complément d'objet............ 137
sujet (attribut)................. 137
puisque 144

Q (prononciation)................ 160
qualificatif (Adjectif).............. 37
quand (conjonction) 130
(adverbe de temps)............... 123
que (conjonction)................... 130
(pronom interrogatif)............ 66
(pronom relatif).................... 61
quel (adj. interrogatif)............ 67
quelconque 71
quelque 73
quel que 64
quelqu'un 71
qui (pronom interrogatif)........... 66
(pronom relatif)..................... 61
quiconque 71
qui que 64
quoi (pronom relatif) 61
(pronom interrogatif) 66
quoique 147
quoi que 64

R (prononciation)................... 160
radical 81
recevoir................................ 94
réciproque (pronominal)............ 79
redire (v. *dire*)........................ 102
réfléchi (pronominal)................ 51
relatifs (adjectifs) 64
(pronoms) 60
relatifs indéfinis 64
relative (Propos. subordonnée) ... 136
rendre................................... 95
repaître.................................. 103
repentir (se) (sur *mentir*)............ 96
répétitions des articles 47
des prépositions..................... 128
des pronoms personnels........... 54
des pronoms relatifs 46
répondre (sur *tendre*)................. 100
reprise du nom par un pronom....... 54
requérir (sur *acquérir*)............... 96
résoudre 100
révéler 91
revoir (sur *voir*)........................ 98

rien...................................... 71
rire et ses *composés*.................. 101
rompre (sur *tendre*).................. 100

S (prononciation) 160
saillir 97
sans 126
sans que 146
savants (Mots)............................ 7
savoir 98
scandinaves (Mots)...................... 6
se 51
semi-auxiliaires 82
sens figuré................................ 14
propre 14
sentir (sur *mentir*)...................... 96
seoir 99
servir et ses *composés*................. 96
seul.. 146
si adverbe 121
conjonction 131
soi.. 51
soit 129
son, sa, ses 55
sons...................................... **159**
sortir et ses *composés*................. 97
souffrir (sur *ouvrir*)................... 96
sourdre 103
sourire (sur *rire*)....................... 101
sous 126
soustraire (sur *extraire*).............. 103
style **163**
style direct.............................. 141
indirect 141
subjonctif (Temps du)................ 109
(Concordance avec le) 138
(Sens du) 109
subordination (Conjonctions de) ... 130
subordonnées (Propositions).... **135**
attribut.................................. 137
circonstancielles...................... 142
complément d'objet.................. 137
infinitives.............................. 139
interrogatives 140
participes ou participiales.......... 151
relatives................................ 136
suffire 102
suffixes grecs 10
latins 10
servant à former des adjectifs.... 9
des adverbes........................ 9
des noms 9
des verbes 9

suivre et ses *composés* 101
sujet (Nom) 24
(Pronom) 50
(Infinitif) 113
apparent 25
réel 25
d'un verbe impersonnel 25
d'un verbe personnel 25
place du 26
repris par un pronom 27
super 42
supériorité (comparatif) 42
(superlatif) 42
superlatif (adjectif au) 42
absolu 42
irrégulier 43
relatif 42
sur 126
surseoir 99
synonymes 14

T (prononciation) 160
taire 102
tandis que 143
tant que 143
techniques (Langues) 163
teindre (sur *craindre*) 101
tel 72
tellement que 146
temps (du verbe) 80
de l'indicatif 104
de l'infinitif 112
du conditionnel 111
du participe 114
du subjonctif 109
temps (Complément circ. de) 33
(Proposition subord. circ. de) 143
tendre 100
tenir 96
toi 50
Tolérances grammaticales 157
tondre (sur *tendre*) 100
tout 73
traire (sur *extraire*) 103
transitifs (Verbes) 77
très 42
tressaillir (sur *assaillir*) 96
tu 50

U (prononciation) 159
ultra 42
un 48
-uyer (Verbes en) 90

V (prononciation) 160
vaincre et ses *composés* 100
valoir et ses *composés* 98
valu (accord du participe) 119
vécu (accord du participe) 119
vendre (sur *tendre*) 100
venir et ses *composés* 96
vêtir et ses *composés* 97
verbes d'action 76
actifs 78
d'état 76
passifs 78
pronominaux réciproques 79
réfléchis 79
à sens passif 79
(modes) 104
(temps) 104
conjugaisons 85
intransitifs 77
transitifs 77
versification (Notions de) 153
vieil 41
virgule 26
vivre et ses *composés* 101
voici 123
voilà 123
voir 98
votre 55
vôtre 56
vouloir 98
vous 51
voyelles 160

X (prononciation) 160

Y (prononciation) 159
(adverbe de lieu) 52, 123
(pronom personnel) 52

Z (prononciation) 160

TABLE DES MATIÈRES

Avant-propos 2
La grammaire 3

FORMATION DU FRANÇAIS

Origine du français 5
Les formations nouvelles 7
Sens des mots 13
Le mot et la phrase 15

LE NOM

Le nom 17
Féminin des noms 19
Pluriel des noms 21

FONCTIONS DU NOM

Fonctions du nom. — Sujet 24
Place du nom sujet 26
Le complément du nom et de l'adjectif. 28
Nom complément d'objet 30
L'attribut 31
Les compléments circonstanciels 32

L'ADJECTIF QUALIFICATIF

L'adjectif qualificatif 37
Accords particuliers des adjectifs 40
Degrés de signification de l'adjectif. 42
Fonctions de l'adjectif qualificatif 44
Accord de l'adjectif qualificatif 45

L'ARTICLE

L'article 46

PRONOMS ET ADJECTIFS

Pronoms personnels 49
Place du pronom personnel 53
Adjectifs et pronoms possessifs 55
Adjectifs et pronoms démonstratifs. 57
Pronoms et adjectifs relatifs 60
Pronoms et adjectifs interrogatifs 65
Pronoms et adjectifs indéfinis 68
Tel, *même*, *tout*, *quelque* 72
Adjectifs numéraux 74

LE VERBE

Le verbe 76
Les voix ou formes du verbe 78
Variations et éléments du verbe 80
Les auxiliaires 82
Les conjugaisons des 1er et 2e groupes. 85
Les conjugaisons du 3e groupe 92

MODES ET TEMPS

Le mode indicatif 104
Les temps passés de l'indicatif 106
Le subjonctif 109
L'impératif 110
Le conditionnel 111
L'infinitif 112
Le participe 114

ACCORDS

Verbe à un mode personnel 115
Accord du participe passé 117

MOTS INVARIABLES

Les adverbes 121
Les prépositions 126
Conjonctions et interjections 129

LA STRUCTURE DE LA PHRASE

La structure de la phrase 132
Propositions subordonnées 135
La subordonnée relative 136
Subordonnées complétives 137
Subordonnées conjonctives sujet, objet ou attribut 137
Subordonnée interrogative 140
Subordonnées circonstancielles 142
Subordonnées de temps 143
Subordonnées de cause 144
Subordonnées de but 145
Subordonnées de conséquence 146
Subordonnées de concession 147
Subordonnées de condition 148
Subordonnées de comparaison 150
Subordonnées participiales 151

NOTIONS DE VERSIFICATION 153
TOLÉRANCES GRAMMATICALES 157
PHONÉTIQUE 159
LE STYLE 163
INDEX ALPHABÉTIQUE 168

IMPRIMERIE HÉRISSEY. — 27000 - ÉVREUX. — Dépôt légal 1961-1er. — N° 33412.
N° de Série Éditeur 11952. — IMPRIMÉ EN FRANCE (*Printed in France*). — 40 352 B-Janvier 1984.